A LIBERDADE
É UMA ESCOLHA

EDITH EVA EGER

A LIBERDADE É UMA ESCOLHA

SEXTANTE

Título original: *The Gift*

tradução: Débora Chaves

preparo de originais: Olga de Mello

revisão: Alice Dias, Hermínia Totti e Livia Cabrini

diagramação: Valéria Teixeira

capa: Filipa Pinto

imagens de capa: flor: Shutterstock, beija-flor: Rickrtts/CleanPNG

impressão e acabamento: Associação Religiosa Imprensa da Fé

CIP-BRASIL. CATALOGAÇÃO NA PUBLICAÇÃO
SINDICATO NACIONAL DOS EDITORES DE LIVROS, RJ

E28L

Eger, Edith Eva
A liberdade é uma escolha / Edith Eva Eger, Esmé Schwall Weigand ; [tradução Débora Chaves]. - 1. ed. - Rio de Janeiro : Sextante, 2021.
176 p. ; 23 cm.

Tradução de: The gift
ISBN 978-65-5564-125-7

1. Resiliência (Traço de personalidade). 2. Mudança (Psicologia). 3. Autorrealização. 4. Teoria do autoconhecimento. I. Weigand, Esmé Schwall. II. Chaves, Débora. III. Título.

20-67680 CDD: 155.24
CDU: 159.923

Leandra Felix da Cruz Candido - Bibliotecária - CRB-7/6135

GMT Editores Ltda.
Rua Voluntários da Pátria, 45 – 14.º andar – Botafogo
22270-000 – Rio de Janeiro – RJ
Tel.: (21) 2538-4100
E-mail: atendimento@sextante.com.br
www.sextante.com.br

Para meus pacientes.
Vocês são meus professores.
Vocês me encorajaram a voltar a
Auschwitz e iniciar minha jornada
para o perdão e a liberdade.
A honestidade e a coragem de vocês
continuam a me inspirar.

SUMÁRIO

INTRODUÇÃO

LIBERTE-SE DE SUAS PRISÕES MENTAIS

Eu aprendi a viver num campo de extermínio

Na primavera de 1944, eu tinha 16 anos e vivia com meus pais e minhas duas irmãs mais velhas em Kassa, na Hungria. Havia diversos sinais de guerra e preconceito à nossa volta: as estrelas amarelas costuradas em nossos casacos; os nazistas húngaros – os *nylas* – que ocuparam o nosso antigo apartamento; as notícias dos jornais sobre as frentes de batalha e a ocupação alemã que se espalhava por toda a Europa; os olhares apreensivos que meus pais trocavam à mesa; o terrível dia em que fui cortada da seleção de ginástica olímpica por ser judia. Felizmente, nessa época, minhas únicas preocupações eram com as questões naturais da adolescência. Estava apaixonada por meu primeiro namorado, Eric, um garoto alto e inteligente que conheci no Clube do Livro. Eu reencenava nosso primeiro beijo e me encantava com o vestido novo de seda azul que meu pai tinha feito para mim. Era evidente o meu progresso no balé e na ginástica olímpica, e eu brincava com Magda, minha linda irmã mais velha, e com Klara, a irmã do meio, que estudava violino no conservatório em Budapeste.

Então, de repente, tudo mudou.

Numa manhã gelada de abril, os judeus de Kassa foram levados e presos numa fábrica de tijolos na periferia da cidade. Algumas semanas depois, Magda, meus pais e eu fomos colocados num vagão de carga no trem com destino a Auschwitz. Meus pais foram assassinados nas câmaras de gás no mesmo dia em que chegamos lá.

Na minha primeira noite em Auschwitz, fui forçada a dançar para Josef Mengele, o oficial da SS conhecido como Anjo da Morte, o homem responsável por fazer a seleção na fila de recém-chegados daquele dia e que enviou minha mãe para a morte. "Dance para mim", ele ordenou, me deixando paralisada de medo no chão de cimento frio do barracão. No lado de fora, a orquestra do campo começou a tocar a valsa "Danúbio azul". Relembrando o conselho dado por minha mãe – *Ninguém pode tirar de você o que você colocar na sua mente* –, fechei os olhos e me transportei para um mundo interior. Na minha imaginação, eu não era mais a prisioneira morta de frio e de fome e arrasada pela perda. Eu estava no palco da Ópera de Budapeste interpretando a Julieta do balé de Tchaikovsky. Foi escondida nesse refúgio interior que obriguei meus braços a se erguerem e minhas pernas a girarem. Reuni forças para dançar pela minha vida.

Todo minuto que vivi em Auschwitz foi como um inferno na Terra. Mas foi também minha melhor escola. Submetida à perda, à tortura, à fome e sob constante ameaça de morte, descobri as estratégias de sobrevivência e liberdade que uso até hoje, diariamente, em meu consultório e em minha vida.

Escrevo esta introdução no outono de 2019, aos 92 anos. Completei o meu doutorado em psicologia clínica em 1978 e atendo pacientes no ambiente terapêutico há mais de quarenta anos. Trato veteranos de guerra, sobreviventes de violência sexual, estudantes, líderes civis, executivos, dependentes químicos, pessoas com quadros de ansiedade e depressão, casais mergulhados em ressentimentos ou que anseiam por uma reaproximação, pais e filhos aprendendo a viver juntos ou descobrindo como viver separados. Como psicóloga, mãe, avó e bisavó, como observadora de meu próprio comportamento e do comportamento dos outros, além de sobrevivente de Auschwitz, estou aqui para dizer a você que minha pior prisão não foi aquela em que os nazistas me colocaram. Minha pior prisão foi aquela que eu construí para mim mesma.

Apesar de nossas experiências de vida serem diferentes, talvez você entenda o que quero dizer. Muitas pessoas se sentem prisioneiras da própria mente. Nossos pensamentos e convicções determinam e, quase sempre, limitam como nos sentimos, o que fazemos e o que consideramos possível fazer. O trabalho que desenvolvo me mostrou que, embora as crenças limitantes surjam e sumam de maneiras diferentes, há algumas prisões mentais que contribuem para o sofrimento. Este livro é um guia prático para ajudar você a identificar suas próprias prisões mentais e a desenvolver as estratégias necessárias para se libertar delas.

A base da liberdade é o poder de escolha. Nos últimos meses da guerra, eu tinha pouquíssimas opções e nenhuma chance de fugir. Os judeus húngaros estavam entre os últimos na Europa a serem deportados para os campos de extermínio. Depois de oito meses em Auschwitz, pouco antes de o exército russo derrotar a Alemanha, minha irmã, eu e centenas de outros prisioneiros fomos retirados de Auschwitz e obrigados a marchar da Polônia, atravessando a Alemanha, até a Áustria. Submetidos a trabalho escravo em fábricas ao longo do caminho, viajamos no teto dos trens que transportavam munição alemã, nossos corpos usados como escudos humanos para proteger a carga das bombas inglesas. (O que não impedia os britânicos de bombardearem os trens mesmo assim.)

Cerca de um ano depois de sermos presas, quando minha irmã e eu fomos libertadas do campo de concentração austríaco Gunskirchen, meus pais e quase todas as pessoas que conhecíamos estavam mortas. Era maio de 1945. Minha coluna estava fraturada por causa dos constantes traumas físicos. Faminta, coberta de feridas, eu mal conseguia me afastar da pilha de corpos onde permanecia deitada. Não podia desfazer o que haviam feito comigo. Não podia fazer nada pelos seres humanos que os nazistas enfiaram nos vagões de gado ou nos crematórios na tentativa de exterminar o maior número de judeus e outros grupos "indesejáveis" antes do fim da guerra. Eu não tinha como mudar a desumanização sistemática ou o massacre dos mais de seis milhões de inocentes que morreram nos campos de extermínio. Tudo que eu podia fazer era decidir como reagir ao terror e à desesperança. De alguma forma, encontrei dentro de mim forças para escolher a esperança.

Mas sobreviver a Auschwitz foi apenas a primeira etapa de minha jornada em direção à liberdade. Permaneci prisioneira do passado por muitas décadas. Na superfície, tudo parecia estar indo bem, o trauma sendo esquecido e a vida seguindo em frente. Casei-me com Béla, filho de uma família proeminente de Prešov, que lutara na Resistência durante a guerra, combatendo os nazistas nas montanhas da Eslováquia. Tornei-me mãe, fugi dos comunistas na Europa, imigrei para a América, vivi com pouco dinheiro, saí da pobreza e, aos 40 anos, entrei na faculdade. Virei professora do ensino médio, fiz mestrado em psicologia educacional e, depois, doutorado em psicologia clínica. No entanto, mesmo ao fim da minha formação, engajada em ajudar outras pessoas por meio da terapia – inclusive sendo encarregada de tratar alguns dos casos mais difíceis em meus estágios clínicos –, eu ainda estava em negação. Eu fugia do passado, negando e minimizando o luto e o trauma, fingindo e tentando agradar os outros, sendo perfeccionista, culpando Béla por ressentimentos e desapontamentos crônicos. E buscava realizações como se elas pudessem compensar tudo o que perdi.

Um dia, ao chegar ao Centro Médico do Exército William Beaumont, em Fort Bliss, no Texas, onde coordenava um estágio clínico muito disputado, vesti meu jaleco branco e coloquei a placa de identificação que dizia "Dra. Eger, Departamento de Psiquiatria". Por um segundo as palavras se embaralharam e pareciam dizer: "Dra. Eger, Impostora." Naquele momento, entendi que não poderia tratar as outras pessoas se não me tratasse primeiro.

Minha abordagem terapêutica é eclética e instintiva, uma mistura de intuição com teorias e práticas cognitivas. Chamo isso de terapia de escolha, já que a liberdade é basicamente uma questão de escolha.

Embora o sofrimento seja inevitável e universal, podemos sempre escolher como responder a ele – e eu procuro ressaltar e estimular o poder de escolha dos meus pacientes para concretizar uma mudança positiva na vida deles.

O trabalho que desenvolvo tem como base quatro princípios psicológicos fundamentais:

O primeiro princípio, baseado na psicologia positiva criada por Martin Seligman, é o conceito de "desamparo aprendido", que mostra que sofremos mais quando acreditamos que somos incapazes de dar sentido à vida e que nada do que fizermos poderá melhorar a situação. Progredimos quando vivenciamos o "otimismo aprendido", ou seja, a força, a resiliência e a habilidade de criar sentido e direção para nossa vida.

O segundo é a Terapia Cognitivo-Comportamental, que entende que nossos pensamentos criam nossos sentimentos e comportamentos. Para mudar comportamentos prejudiciais, disfuncionais ou contraproducentes, é preciso mudar os pensamentos, substituir as crenças negativas por outras que atendam e apoiem nosso crescimento.

O terceiro vem de Carl Rogers, um de meus mentores mais importantes. Esse princípio prega a importância da autoestima positiva incondicional. Muito do nosso sofrimento deriva da ideia equivocada de que não podemos ser amados *e* autênticos – que, se quisermos ser aceitos e aprovados pelos outros, temos que negar ou esconder o nosso verdadeiro eu. Em meu trabalho, eu me esforço para mostrar aos pacientes que só nos tornamos livres quando paramos de usar máscaras e de representar papéis para atender às expectativas que os outros projetam sobre nós, e também quando começamos a nos amar incondicionalmente.

Por fim, uso o conhecimento compartilhado com meu querido mentor, amigo e companheiro sobrevivente de Auschwitz, Viktor Frankl, de que as piores experiências podem ser os melhores professores, pois catalisam descobertas inesperadas e nos abrem para novas possibilidades e perspectivas. A cura terapêutica, a satisfação e a liberdade resultam de nossa capacidade de escolher como reagir diante de qualquer coisa que a vida nos apresente e a dar sentido e propósito a tudo que vivemos – em especial, ao nosso sofrimento.

A liberdade é um eterno exercício, uma escolha que precisamos fazer todos os dias, a todo momento. Em última análise, a liberdade exige esperança, que defino de duas maneiras: a consciência de que o sofrimento, embora terrível, é temporário; e a curiosidade para descobrir o *que vem a seguir*. A esperança nos permite viver o presente em vez do passado e abre as portas de nossas prisões mentais.

Setenta e cinco anos após a libertação, eu ainda tenho pesadelos e *flashbacks*. Sei que até o dia da minha morte vou sofrer pela perda de meus pais, que não puderam ver as quatro gerações que renasceram de suas cinzas. O horror ainda está em mim. Não existe liberdade em minimizar o que aconteceu nem em tentar esquecer o que vivi.

No entanto, permanecer presa à culpa, à vergonha, à raiva, ao ressentimento ou ao medo do passado é bem diferente de relembrar e reconhecer. Posso enfrentar a realidade do que aconteceu e lembrar que, apesar do que perdi, nunca parei de amar e de ter esperança. Para mim, a capacidade de escolher, mesmo em meio a tanto sofrimento e impotência, é a verdadeira dádiva que Auschwitz me proporcionou.

Pode parecer errado chamar de dádiva qualquer coisa que tenha a ver com campos de extermínio. Como algo de bom pode vir do inferno? Lembro do medo constante de, a qualquer momento, ser arrastada da fila de seleção e atirada à câmara de gás, aquela fumaça escura saindo das chaminés, um lembrete onipresente de tudo que eu havia perdido e que teria a perder. Eu não tinha controle sobre aquelas circunstâncias aflitivas e absurdas, mas podia me concentrar no que se passava na minha cabeça. Podia obedecer, podia não reagir. Auschwitz me deu a oportunidade de descobrir minha força interior e meu poder de escolha. Aprendi a confiar em partes de mim que de outra forma eu nunca saberia que existiam.

Todo mundo tem a capacidade de escolher. Quando as circunstâncias externas são difíceis é que surge a possibilidade de descobrir quem realmente somos. O que importa não é o que nos acontece, mas o que fazemos com nossas experiências.

Ao escapar de nossas prisões mentais, não apenas nos libertamos do que nos paralisava como ficamos livres para exercitar o livre-arbítrio.

Aprendi a diferença entre liberdade negativa e liberdade positiva em maio de 1945, aos 17 anos. Eu estava caída na lama, junto a uma pilha de pessoas mortas e moribundas, quando a 71ª Infantaria chegou para libertar o campo. Lembro-me dos olhares horrorizados dos soldados, com o rosto coberto por lenço para não sentirem o cheiro de carne podre. Naquelas primeiras horas de liberdade, vi meus colegas ex-prisioneiros – aqueles que conseguiam andar – saírem pelos portões da prisão e, momentos depois, voltarem para se sentar na grama encharcada ou no chão sujo dos barracões, incapazes de seguir adiante. Viktor Frankl percebeu o mesmo fenômeno quando as forças soviéticas libertaram Auschwitz. Não estávamos mais presos, mas muitos não conseguiam reconhecer, física ou mentalmente, a liberdade. Corroídos por doenças, pela fome e pelo trauma, não tínhamos capacidade de assumir a responsabilidade por nossa vida. Mal conseguíamos nos lembrar de como ser nós mesmos.

Tínhamos finalmente sido libertados dos nazistas. Mas ainda não estávamos livres.

Hoje reconheço que a prisão mais nociva está em nossa mente, mas sei que a chave está em nosso bolso. Não importa o tamanho do sofrimento ou do portão das celas, é possível nos libertarmos de qualquer coisa que esteja nos aprisionando.

Não é fácil, mas vale muito a pena.

Em *A bailarina de Auschwitz*, contei a história de minha jornada desde a prisão, passando pela libertação, até a verdadeira liberdade. Fiquei surpresa e grata pela receptividade internacional do livro e por todos os leitores que compartilharam suas histórias de como enfrentaram o passado e curaram suas dores. Muitas dessas histórias foram incluídas neste livro. (Claro que os nomes e outros detalhes foram trocados para proteger a privacidade de todos.)

Quando escrevi *A bailarina de Auschwitz*, eu não queria que as pessoas lessem minha história e pensassem: "Meu sofrimento não é nada em comparação com o dela." Queria que as pessoas conhecessem a minha vida e entendessem: "Se ela pode fazer isso, eu também posso." Com o sucesso do primeiro livro, muitos leitores pediram um guia com dicas práticas da terapia que apliquei em minha própria vida e no trabalho clínico que desenvolvi com meus pacientes. *A liberdade é uma escolha* veio cumprir este papel.

Em cada capítulo analiso uma prisão mental, ilustrando seus efeitos com histórias pessoais e com casos tirados de minha experiência profissional. Depois apresento sugestões de estratégias para você aplicar em sua vida e se libertar de suas próprias prisões. Algumas estratégias são perguntas que podem ser usadas como lembretes diários ou como inspiração para uma conversa com seu terapeuta ou amigo de confiança. Há também algumas dicas práticas para melhorar sua vida e seus relacionamentos. Organizei o livro numa sequência objetiva que reflete a minha trajetória para a liberdade. Mas como a terapia não é um processo linear, os capítulos também podem ser lidos individualmente ou em qualquer ordem. Você está no comando da sua jornada. Portanto, use o livro da maneira que considerar mais adequada.

Ofereço agora três orientações iniciais para você dar os primeiros passos a caminho da liberdade.

Ninguém muda até estar pronto.

Ninguém muda até estar pronto. Às vezes, uma circunstância difícil, como um divórcio, um acidente, uma doença ou a morte, nos força a enfrentar o que não está funcionando em nossa vida e a tentar outro caminho. Outras vezes, a dor interior ou um anseio frustrado se torna tão visível e insistente que é impossível ignorar. Mas a disposição para a mudança não vem de fora nem pode ser acelerada ou forçada. Você está pronto quando se sente pronto, quando algo se acende lá dentro e você decide: *Até agora eu fiz assim. De hoje em diante vou fazer diferente.*

Mudar é interromper hábitos e padrões que não nos servem mais.

Mudar é interromper hábitos e padrões que não nos servem mais. Se você quer alterar sua vida de maneira significativa, não pode simplesmente abandonar um hábito ou convicção disfuncional. É preciso substituí-lo por uma versão mais saudável. Você escolhe o caminho que vai percorrer. Encontra uma indicação e a segue. Ao iniciar a jornada, é importante refletir não apenas sobre *aquilo* de que gostaria de se libertar, mas também sobre o que quer *fazer* com essa liberdade.

Você muda para assumir o seu verdadeiro *eu.*

Por fim, quando você muda sua vida não é para se tornar uma *nova* pessoa, mas para *assumir o seu verdadeiro eu* – o diamante único que nunca poderá ser replicado ou substituído. Tudo o que lhe aconteceu, as escolhas que fez até aqui, a maneira como lidou com elas, tudo isso importa. Não precisa jogar tudo fora e começar do zero. Seja lá o que você fez ou o que viveu, isso o trouxe até este momento. A estratégia definitiva para alcançar a liberdade é continuar sendo quem você realmente é.

CAPÍTULO 1

E AGORA?

A prisão da vitimização

De acordo com o que percebi em minha experiência, as vítimas perguntam "Por que eu?" e os sobreviventes, "E agora?".

O sofrimento é universal, mas a vitimização é uma opção. Não há como evitar ser agredido ou oprimido por outras pessoas ou pelas circunstâncias. A única garantia é que vamos sofrer, independentemente de nossa gentileza ou do nosso esforço pessoal. Seremos afetados por fatores ambientais e genéticos sobre os quais temos pouco ou nenhum controle. Mas cada um de nós pode escolher permanecer ou não na condição de vítima. Não podemos escolher o que nos acontece, mas podemos escolher como reagir às experiências.

Muitas vezes permanecemos prisioneiros da vitimização porque, de forma inconsciente, isso nos traz uma sensação de segurança. Nós nos perguntamos "por quê?" sem parar, acreditando que se conseguirmos entender a razão, a dor diminuirá. Por que tive câncer? Por que perdi meu emprego? Por que meu parceiro me traiu? Buscamos respostas na tentativa de entender, como se houvesse uma razão lógica para explicar por que as coisas aconteceram daquela maneira. Porém, procurar o porquê indica que estamos à procura de alguém ou algo para colocar a culpa – inclusive nós mesmos.

Por que isso aconteceu comigo?

Bem, por que *não aconteceria* com você?

Talvez eu tenha sobrevivido a Auschwitz para poder me tornar um exemplo de sobrevivente, não de vítima, e conversar com você a respeito disso. Quando pergunto "E agora?" em vez de "Por que eu?", deixo de me concentrar na razão por que essa coisa ruim aconteceu e começo a prestar atenção no que posso fazer com essa experiência. Não estou em busca de um salvador ou de um bode expiatório. Pelo contrário, estou tentando analisar as opções e as possibilidades.

Meus pais não puderam escolher como terminar seus dias, mas eu tenho muitas opções. Posso me sentir culpada por ter sobrevivido enquanto milhões, incluindo minha mãe e meu pai, morreram; ou posso escolher viver, trabalhar e melhorar a ponto de me libertar do peso do passado. Posso aproveitar minha força e minha liberdade.

A vitimização é o *rigor mortis* da mente. Ela nos deixa presos ao passado, à dor e às perdas, focados no que *não podemos fazer* e no que *não temos*.

Esta é a primeira estratégia para escapar da vitimização: abordar qualquer acontecimento com uma avaliação cuidadosa. Isso não significa ter que aprender a *gostar* do que está acontecendo. Mas, ao parar de lutar e resistir, você ganha mais energia e imaginação para descobrir a resposta para a pergunta "E agora?". Você começa a seguir em frente em vez de permanecer inerte. Além disso, se torna capaz de descobrir o que deseja, do que precisa e para onde quer ir a partir daí.

Todo comportamento satisfaz uma necessidade. Muita gente escolhe permanecer no papel de vítima porque é confortável não precisar fazer nada em benefício próprio. A liberdade tem um preço. Somos convocados a nos responsabilizarmos por nosso comportamento e a assumir a responsabilidade mesmo nas situações que não provocamos ou escolhemos estar.

A vida é cheia de surpresas.

Algumas semanas antes do Natal, Emily, 45 anos, mãe de duas crianças, casada e feliz há onze anos, se sentou ao lado do marido depois de colocar os filhos para dormir. Quando ela ia sugerir que assistissem a um filme, o marido a encarou e, de maneira tranquila, disse as palavras que mudariam drasticamente sua vida.

– Conheci uma pessoa. Estamos apaixonados. Acho que eu e você não devemos continuar casados – declarou ele.

Emily ficou perplexa. Não conseguia sequer imaginar como superar aquela situação. E então teve uma segunda surpresa: descobriu que estava com câncer de mama, um tumor em estágio avançado que exigia quimioterapia agressiva e imediata. Nas primeiras semanas de tratamento, ela se sentiu paralisada. Seu marido adiou a conversa sobre o divórcio para ficar ao lado dela durante o tratamento, mas Emily estava apática. Era como se sua vida tivesse chegado ao fim.

Oito meses depois de receber o diagnóstico, Emily havia passado por uma cirurgia e recebido mais notícias inesperadas: o câncer estava em remissão total.

A doença se fora, assim como seu marido. Logo que a quimioterapia acabou, ele avisou que tinha tomado uma decisão. Já havia alugado um apartamento e dado entrada no divórcio.

Emily estava tão tomada pela preocupação com os filhos, pela solidão e pela dor da traição que sentia como se estivesse caindo de um penhasco: completamente sem chão.

O divórcio tornou real seu pior medo. O terror de ser abandonada a acompanhava desde os 4 anos, quando sua mãe teve uma depressão profunda. Na época, seu pai se refugiou no trabalho, mantendo silêncio sobre a situação e deixando Emily lidar com aquilo sozinha. Mais tarde, quando a mãe cometeu suicídio, foi uma espécie de confirmação da realidade que ela já sabia, embora tentasse evitar: de que as pessoas que ela ama desaparecem.

– Desde os 15 anos sempre estou em algum relacionamento – contou Emily em uma consulta. – Nunca aprendi a ser feliz sozinha. Nunca aprendi a amar a mim mesma.

Sua voz fraquejou quando ela disse estas palavras: *amar a mim mesma*.

Muitas vezes digo que precisamos dar segurança aos filhos, mas também precisamos lhes dar asas. E temos que fazer o mesmo por nós. A única pessoa com quem você pode contar é você mesmo. Você nasce só e morre só. Portanto, levante-se de manhã, olhe-se no espelho e diga: "Amo você", "Nunca vou abandonar você". Abrace-se. Beije-se.

E continue se amando o dia inteiro, todos os dias.

– Como devo lidar com meu ex-marido? – perguntou Emily uma vez. – Sempre que nos encontramos, ele aparenta estar calmo e relaxado. Ele está feliz com a decisão que tomou, mas todas as minhas emoções transbordam e começo a chorar. Não consigo me controlar quando o vejo.

– Se quiser de verdade, você vai conseguir – afirmei. – Mas precisa querer e não posso obrigá-la a fazer isso. Não tenho esse poder. Você tem. Tome uma decisão. Talvez sinta vontade de gritar e chorar, mas não faça nada que não seja bom para você mesma.

Às vezes basta uma frase para mostrar como escapar da armadilha da vitimização. Pergunte-se: *Isso é bom para mim?*

Será que me fará bem dormir com um homem casado? Será que me fará bem comer mais um pedaço do bolo de chocolate? Será bom para mim socar o peito do meu marido infiel? Será bom sair para dançar ou encontrar meus amigos?

Outra estratégia para escapar da vitimização é aprender a lidar com a solidão. É o que a maioria das pessoas mais teme. Contudo, quando você ama a si mesmo, estar só não significa estar solitário.

– Quando aprender a amar a si mesma, você também estará fazendo bem a seus filhos – expliquei a Emily. – Se demonstrar que está centrada e em paz, eles entenderão que você está presente e que não vão perdê-la. Então poderão viver a vida deles, em vez de ficar se preocupando com a mãe. Fale para seus filhos e para si "Estou aqui. Conte comigo". Assim, estará dando a eles uma coisa que você mesma nunca teve: uma mãe forte e saudável.

Quando aprendemos a nos amar, começamos a tapar os buracos em nosso coração, a ocupar os espaços vazios que pareciam nunca ser preenchidos. E fazemos descobertas importantes, que nos ajudam a ver as coisas de forma diferente.

Perguntei a Emily quais descobertas ela havia feito no tumulto dos últimos meses. Seus olhos brilharam.

– Descobri quanta gente maravilhosa tenho ao meu lado: minha família, meus amigos, pessoas que não conhecia e que se tornaram especiais durante o tratamento. Quando o médico disse que eu estava com câncer, achei que minha vida havia chegado ao fim. Agora aprendi que sou forte, que posso lutar. Demorei 45 anos para entender isso, mas tenho sorte porque agora eu sei. Minha nova vida está apenas começando.

Todos nós podemos encontrar força e liberdade mesmo em circunstâncias terríveis. É você quem manda na sua vida, portanto, assuma o controle. Você tem dentro de si todo o amor e o poder de que precisa. Saiba que tipo de vida deseja viver, que tipo de relacionamento sonha ter. Junte-se a um grupo em que as pessoas enfrentam dificuldades parecidas com a sua, de forma que cada uma possa ajudar a outra a se comprometer com algo maior.

A mente inventa todo tipo de coisa para nos proteger. O papel de vítima é um escudo tentador porque sugere que o sofrimento será menor se nos eximirmos da culpa. Enquanto Emily se identificava como vítima, podia transferir toda culpa e responsabilidade por seu bem-estar para o ex-marido. A posição de vítima oferece um falso alívio ao protelar seu amadurecimento. Quanto mais tempo permanecemos nessa posição, mais difícil é sair dela.

– Você não é uma vítima – disse a Emily. – Não é quem você é, mas o que foi feito com você.

Podemos ser magoados e ao mesmo tempo responsáveis por essa mágoa. Podemos ser responsáveis e ao mesmo tempo inocentes. Mas, acima de tudo, podemos desistir dos ganhos secundários da vitimização pelos ganhos primários do amadurecimento, da cura e da mudança.

A principal razão para sair da posição de vítima é ter a chance de seguir em frente. Barbara estava tentando fazer isso quando entrou em contato comigo, um ano após a morte da mãe. Ela tinha uma aparência jovem para seus 64 anos. Pele suave, mechas douradas no longo cabelo louro. Mas parecia carregar um peso no peito e muita melancolia nos olhos azuis.

A principal razão para sair da posição de vítima é ter a chance de seguir em frente.

O relacionamento de Barbara com a mãe era complicado, o que tornava o seu luto igualmente difícil. Exigente e controladora, a mãe tinha reforçado a posição de vítima da filha por anos, enfatizando problemas como notas ruins na escola e estimulando as convicções de que Barbara era uma pessoa inútil e cheia de falhas, que nunca conseguiria ser nada na vida. De certa forma, foi um alívio estar livre da perspectiva distorcida e crítica da mãe. Ainda assim, Barbara se sentia angustiada. Uma lesão na coluna a obrigara a interromper o trabalho que ela tanto amava numa cafeteria local, além de prejudicar seu sono à noite, quando sua cabeça não parava de girar com questionamentos. *Será que o meu tempo acabou? O que fiz para ser lembrada quando morrer? Onde eu errei? O que fiz com a minha vida?*

Ela estava triste, ansiosa e insegura.

Vejo isso acontecer com muitas mulheres de meia-idade quando perdem a mãe. Questões emocionais mal resolvidas do relacionamento permanecem, e a morte faz parecer impossível colocar um ponto final no conflito.

– Você libertou sua mãe do passado? – perguntei durante uma consulta.

Barbara balançou a cabeça negativamente, com os olhos cheios de lágrimas.

Lágrimas fazem bem. Elas significam que fomos tocados por uma verdade emocional importante. Levar o paciente a chorar com uma pergunta é como encontrar ouro. Quer dizer que atingimos algo essencial. Ainda que o momento de alívio seja tão frágil quanto profundo, eu mergulho, atenta, sem pressa.

Ela enxugou o rosto e soltou um suspiro longo e pesado.

– Quero te fazer uma pergunta – disse ela. – É sobre uma memória de infância que não me sai da cabeça.

Pedi que Barbara fechasse os olhos e descrevesse a lembrança no presente, como se estivesse acontecendo agora.

– Tenho 3 anos – ela começou. – Estamos todos na cozinha. Meu pai está sentado à mesa do café da manhã. Minha mãe está em pé, comigo e meu irmão mais velho. Está zangada. Ela nos coloca um ao lado do outro e pergunta: "De quem vocês gostam mais, de mim ou de seu pai?" Meu pai observa a cena, começa a chorar e pede: "Não faça isso. Não faça isso com as crianças." Quero dizer que gosto mais do meu pai, quero me aproximar dele e sentar em seu colo, abraçá-lo, mas não posso fazer isso. Não posso dizer que o amo para não deixar mamãe zangada. Eu ficaria em apuros. Então digo que gosto mais da minha mãe. E agora... Agora eu queria não ter dito isso. – Sua voz hesita, as lágrimas descendo pelo rosto.

– Você é uma boa sobrevivente – expliquei. – Uma garota esperta. Fez o que devia para sobreviver.

– Então por que isso dói tanto? – perguntou ela. – Por que não consigo esquecer?

– Porque aquela menininha não sabe que está segura agora. Leve-me até ela na cozinha. Conte-me o que você vê.

Barbara descreveu a janela que dá para o quintal, as flores amarelas nos puxadores dos armários, como seus olhos ficavam na altura exata dos botões do forno.

– Converse com essa menininha. Como ela se sente agora?

– Eu amo meu pai, mas não posso dizer isso.

– Você está indefesa.

As lágrimas escorriam pelas bochechas até o queixo. Barbara as secava e apoiava o rosto nas mãos.

– Você era uma criança na época – afirmei. – Agora é adulta. Vá até aquela menininha especial e querida. Seja mãe dela. Segure sua mão e diga a ela: "Vou tirar você daqui."

Os olhos de Barbara permaneceram fechados. Seu corpo oscilava de um lado para o outro.

– Segure a mão dela – continuei. – Leve-a pela sala, desça os degraus da porta da frente, vá para a calçada. Caminhe com ela até a esquina, vire e fale para a menininha: "Você não está mais presa lá."

A prisão da vitimização quase sempre se estabelece na infância, e mesmo ao atingirmos a vida adulta ela pode continuar nos deixando tão inseguros quanto antes. Podemos nos libertar desse papel de vítima ao ajudar nossa criança interior a se sentir segura e permitir que ela perceba o mundo com a autonomia de uma pessoa adulta.

Orientei Barbara a continuar segurando a mão da menininha. A levá-la para um passeio, mostrando as flores do parque. A mimá-la e amá-la plenamente. A lhe oferecer um sorvete ou um ursinho de pelúcia para abraçar – qualquer coisa que a fizesse se sentir mais segura.

– Depois leve-a para a praia – recomendei. – Mostre a ela como fazer uma guerra de areia. Diga a ela: "Eu estou aqui e nós vamos ficar zangadas." Role com ela na areia. Grite e pule. Depois leve-a para casa. Não de volta àquela cozinha, mas para a casa onde você vive agora, o lugar onde você sempre estará para cuidar dela.

Os olhos de Barbara continuavam fechados, mas a boca e as bochechas estavam mais relaxadas. Uma ruga de tensão, no entanto, ainda franzia a área entre os olhos.

– Aquela menininha estava presa na cozinha e precisava sair dali – expliquei. – Você a resgatou.

Ela concordou lentamente, mas seu rosto continuava tenso.

Sua missão não tinha acabado. Havia outra pessoa que precisava ser resgatada.

– Sua mãe ainda está naquela cozinha. Abra a porta para ela. Diga a ela que é hora de vocês duas se libertarem.

Barbara foi até seu pai na mesa do café da manhã, onde ele permanecia sentado em silêncio, o rosto molhado de lágrimas. Ela o beijou na testa e falou do amor que teve que esconder quando era criança. Então foi até a mãe. Colocou a mão no ombro dela, olhou diretamente em seus olhos e indicou com a cabeça a porta aberta, o caminho de grama visível de onde elas estavam.

Quando Barbara enfim abriu os olhos, parecia ter o rosto e os ombros relaxados.

– Obrigada – sussurrou ela.

Libertar-se da posição de vítima também significa libertar os outros dos papéis que nós lhes atribuímos.

Tive a oportunidade de usar essa técnica em mim mesma recentemente, durante um circuito de palestras na Europa, para o qual convidei minha filha Audrey a me acompanhar. Quando ela estava no colégio e se levantava às 5 da manhã para treinar natação, era o pai dela quem a acompanhava nas competições por todo o Texas. Era assim que Béla e eu organizávamos as necessidades de nossa carreira e de nossos três filhos. Agíamos como parceiros, dividindo as responsabilidades. Mas isso significava que ambos perdíamos coisas. Viajar com Audrey agora não substituía o tempo que havíamos perdido quando ela era mais jovem, mas parecia ser uma maneira especial de marcar nosso relacionamento. Além disso, desta vez era eu que precisava de companhia.

Fomos à Holanda e depois à Suíça, onde nos esbaldamos com sobremesas de inspiração francesa, tão gostosas e doces quanto as que meu pai costumava trazer escondido para mim quando chegava tarde da noite das partidas de bilhar. Eu havia voltado à Europa várias vezes desde a guerra, mas, para mim, era incrivelmente terapêutico estar lá, tão perto da minha infância e do meu trauma, com minha maravilhosa filha, compartilhando silêncios e conversas, ouvindo os planos dela de investir numa segunda carreira como coach de luto e liderança. Uma noite, depois de uma palestra para uma sala lotada de executivos, numa escola de negócios em Lausanne, uma pessoa fez uma pergunta que me surpreendeu: "Como é viajar com Audrey?"

Escolhi palavras que expressavam adequadamente quanto essa experiência estava sendo especial para mim. Comentei que os filhos do meio muitas vezes recebem pouca atenção na família. E também que Audrey havia sido criada na maior parte do tempo pela irmã mais velha, Marianne, porque eu estava ocupada demais levando seu irmão mais novo, John, para lá e para cá atrás de tratamento para alguns atrasos de desenvolvimento não diagnosticados. John se formou pela

Universidade do Texas como um dos dez melhores alunos de sua turma e é atualmente uma figura respeitada que defende pessoas com deficiências. Sou eternamente grata por ele ter podido fazer tratamentos e recebido o apoio de que precisava. Mas sempre me senti culpada por deixar que as necessidades especiais de John monopolizassem minha atenção e atrapalhassem a infância de Audrey – e também pelo peso que o meu próprio trauma exerceu sobre meus filhos. Dizer isso em público, de improviso, foi catártico para mim. Foi boa a sensação de reconhecer isso, de pedir desculpas.

Porém, no aeroporto, na manhã seguinte, Audrey me questionou.

– Mãe – disse ela –, nós precisamos mudar a minha história. Eu não me vejo como vítima. Preciso que você pare de me ver assim.

Senti um aperto desconfortável no peito na pressa de me defender. Achei que a retratara como sobrevivente, não como vítima. Mas ela estava certa. Ao tentar desabafar minha culpa, a escolhi para o papel de criança negligenciada. Criei personagens para todo mundo: eu era a opressora; Audrey, a vítima; e Marianne, a salvadora. (Ou, em outra versão da mesma história, eu escolhia John como vítima, eu como salvadora e Béla, com quem eu estava brigada naquela fase, como opressor.) O papel de vítima quase sempre é fluido nos relacionamentos e nas famílias, mas não existe vítima sem opressor. Quando nos mostramos como vítimas ou colocamos outra pessoa nessa posição, reforçamos e perpetuamos a agressão. Ao focar no que Audrey perdeu durante a infância, sabotei sua força como sobrevivente, sua capacidade de encarar toda experiência como uma oportunidade de crescimento, além de me encarcerar numa prisão de culpa.

A primeira vez que percebi a força da mudança de perspectiva de vítima para sobrevivente foi quando trabalhava no Centro Médico do Exército William Beaumont, em meados dos anos 1970. Havíamos recebido dois novos pacientes, veteranos do Vietnã, paraplégicos com lesões na parte baixa da medula espinhal, com poucas chances de voltar a andar, ambos com o mesmo diagnóstico e o mesmo prognóstico. Encontrei um deles deitado na cama, enrolado em posição fetal, xingando Deus e o país por sua condição. O outro estava sentado em uma cadeira de rodas. "Estou vendo tudo diferente agora", afirmou o segundo paciente. "Meus filhos vieram me visitar ontem e agora que estou nesta cadeira de rodas fico bem na altura dos olhos deles." Não é que ele estivesse feliz com a deficiência, que comprometeria sua função sexual e suas chances de dançar no casamento dos filhos. Mas conseguia ver que a lesão lhe proporcionara uma nova perspectiva. E ele podia escolher encarar aquilo como algo limitante e incapacitante ou como uma nova fonte de crescimento.

Mais de quarenta anos depois, na primavera de 2018, vi minha filha Marianne fazer uma escolha semelhante. Numa viagem à Itália com o marido Rob, ela tropeçou num degrau de pedra e caiu de cabeça, sofrendo uma lesão cerebral. Por duas semanas não sabíamos se ela sobreviveria ou como ficaria se sobrevivesse. Será que ela seria capaz de falar? Será que se lembraria de seus filhos, de Rob, dos irmãos, de mim? Ao longo daqueles dias insuportáveis, enquanto ela lutava pela vida, eu tocava repetidamente no bracelete que Béla me dera quando ela nasceu, uma trança grossa feita de três tipos de ouro. Quando fugimos da Tchecoslováquia, em 1949, eu o escondi numa fralda de Marianne. Desde então uso o bracelete como uma espécie de talismã da vida e do amor que emergem até mesmo da destruição e da morte, um lembrete de que é possível sobreviver apesar de tudo.

Para mim, não há sentimento mais difícil do que o medo misturado com a impotência. Fiquei devastada com o sofrimento de Marianne, aterrorizada com a possibilidade de perdê-la – e não havia nada de concreto que eu pudesse fazer para curá-la e impedir que o pior acontecesse. O medo crescia e eu repetia seu apelido em húngaro, "Marchuka, Marchuka", como uma espécie de oração. Percebi que foi o que fiz em Auschwitz quando dancei para Josef Mengele. Eu me fechei. Criei um santuário dentro de mim, um lugar para manter meu espírito em segurança em meio ao caos da ameaça e da incerteza.

Milagrosamente, Marianne sobreviveu. Ela não se lembra das primeiras semanas após a queda. Talvez tenha se fechado em si mesma também. Graças aos excelentes cuidados médicos que recebeu, ao apoio constante do marido e da família e a seus próprios recursos, ela conseguiu, pouco a pouco, recuperar as funções físicas e cognitivas e lembrar-se dos nomes dos filhos. No princípio, Marianne sentia dificuldades para engolir e seu paladar ficou alterado. Cozinhei para ela o tempo todo, determinada a preparar todas as receitas que ela adorava. Um dia ela me pediu para fazer *trepanka*, um prato à base de batata servido com chucrute e *brinza*, um queijo artesanal tcheco. Era o que eu mais tive vontade de comer quando estava grávida dela. Quando a vi engolir o primeiro pedaço e sorrir, senti lá no fundo que ela ficaria bem.

Em um ano e meio, Marianne teve uma recuperação impressionante. Hoje ela está vivendo e trabalhando como antes da lesão, com força, brilho, criatividade e paixão.

Embora muitos aspectos daquela situação estivessem fora de seu controle, ela fez escolhas que eu sei que a ajudaram em sua recuperação. Quando se está em uma posição vulnerável, com energia limitada, é crucial saber escolher como passar o tempo. Marianne escolheu pensar como uma sobrevivente, concentrar-se no que precisava fazer para continuar melhorando, prestar atenção em seu corpo para saber a hora de descansar e ser grata por sua saúde e por todas as pessoas que ajudaram em sua recuperação. Ao acordar toda manhã, ela se pergunta: "O que vou fazer hoje? Quando farei meus exercícios de fisioterapia? Em quais projetos quero trabalhar? O que preciso fazer para cuidar de mim mesma?"

A atitude não é tudo, claro. Não podemos eliminar as dificuldades ou ficar bem apenas mudando de perspectiva. Mas a maneira como passamos o tempo e investimos nossa energia mental com certeza afeta nossa saúde. Se resistimos e protestamos contra o que experimentamos, reduzimos nossa chance de crescimento e cura. Devemos, em vez disso, reconhecer a situação ruim que estamos vivendo *e* descobrir a melhor forma de conviver com ela.

Isso é especialmente verdadeiro quando enfrentamos contratempos ou complicações no processo de cura. Pacientes que sofreram lesões cerebrais em geral não se saem mais tão bem nas tarefas que costumavam desempenhar com facilidade e habilidade. Marianne ainda está se esforçando para restabelecer todas as redes neurais danificadas pela queda. Ela se cansa rápido quando permanece muito tempo em pé ou caminhando e tem dificuldade com a linguagem. Com exceção das primeiras semanas após o acidente, sua memória está intacta, embora às vezes não consiga encontrar uma palavra aqui, outra ali – como por exemplo o nome de um país que já visitou ou o legume que quer comprar no mercado. Ela precisou aprender um jeito novo de fazer o que antes costumava executar sem esforço. Ao se preparar para uma palestra, não pode mais anotar três temas e confiar que seu cérebro fará as conexões e preencherá as lacunas como acontecia antes da lesão. Agora ela precisa anotar o discurso inteiro, cada palavra, cada transição.

Curiosamente, há coisas que Marianne faz com mais flexibilidade e criatividade. Minha filha sempre foi uma cozinheira de primeira, assinando, inclusive, uma coluna sobre culinária no jornal de San Diego. Depois da queda, teve que reaprender a cozinhar. No caminho, começou a inventar novas receitas e revisitou processos antigos de um jeito novo. Ela e Rob vivem em Manhattan, mas passam a maior parte do verão em La Jolla, onde moro. No verão passado, decidiu fazer uma sopa fria de cereja que tinha oferecido uma vez num jantar em Nova York. Comprou um punhado de cerejas ácidas e releu dois velhos livros de receitas húngaras, mas acabou abandonando os livros e cozinhou do seu jeito – preparou a sopa fria em vez de aquecê-la e depois resfriá-la, adicionando três tipos diferentes de fruta. Sem as constantes adaptações que precisou fazer desde o acidente, ela provavelmente teria preparado a sopa da mesma forma que antes. Em vez disso, partiu para a reinvenção e deixou que isso a guiasse para algo novo. A sopa ficou deliciosa.

Às vezes eu vejo nos olhos dela quanto é cansativo e frustrante se esforçar tanto para fazer coisas que antes não exigiam esforço algum. Mas Marianne se ajustou às possibilidades.

"É engraçado, eu me sinto viva intelectualmente, só que de uma forma diferente", disse ela, com o rosto iluminado de uma criança que aprende a ler. "Para dizer a verdade, de certa forma é divertido e emocionante."

Essa não é uma experiência incomum entre pessoas com lesões parecidas. O neurologista de Marianne contou que vários pacientes que haviam sofrido lesões cerebrais graves e que até então não tinham qualquer habilidade artística, de repente, descobriram que podiam desenhar ou pintar – e faziam isso incrivelmente bem. Algo relacionado a caminhos neurais rompidos e reconfigurados que leva muitos sobreviventes a descobrirem talentos que nunca tiveram ou conheciam.

Em toda crise há uma transição.

Esse é um belo lembrete de que as coisas que interrompem a nossa vida e atrapalham o nosso caminho também podem ser catalisadoras do surgimento de um novo eu, podem ser ferramentas que mostram uma nova forma de ser e que nos fornecem uma nova visão.

É por isso que digo que em toda crise há uma transição. Coisas terríveis acontecem, e elas doem demais. Mas essas experiências devastadoras também são oportunidades de refletir e decidir o que queremos para nossa vida. Quando escolhemos reagir ao que aconteceu seguindo em frente e descobrimos a liberdade que existe nisso, nos livramos da prisão da vitimização.

ESTRATÉGIAS PARA SE LIBERTAR DA VITIMIZAÇÃO

- **Isso foi antes, agora é assim.** Pense por um instante em sua infância ou adolescência, quando você foi magoado por atos, grandes ou pequenos, de outras pessoas. Tente se lembrar de algum momento específico, não uma impressão generalizada desse relacionamento ou período da vida. Imagine o momento como se estivesse vivendo-o outra vez. Preste atenção nos detalhes sensoriais: imagens, sons, cheiros, sabores, sensações físicas. Depois, imagine você como está agora. Veja a si mesmo entrando nesse momento do passado e pegando o seu antigo eu pela mão. Guie seu antigo eu para o local onde ocorreu a mágoa no passado e repita “Estou aqui. Vou cuidar de você”.

- **Em toda crise há uma transição.** Escreva uma carta para alguém que o feriu ou sobre uma situação que o magoou, recentemente ou no passado. Seja específico sobre o que a pessoa fez ou sobre o que aconteceu e você não gostou. Coloque tudo em pratos limpos. Diga como as ações, palavras ou eventos o afetaram. Depois, escreva outra carta para aquela pessoa ou sobre a mesma situação – mas desta vez escreva demonstrando gratidão pelo que a pessoa lhe ensinou a respeito de você mesmo ou sobre como a situação o forçou a crescer. O objetivo da carta não é fingir gostar de alguém que o machucou nem se obrigar a ficar feliz com algo doloroso. Admita que o que aconteceu não foi bom e que o magoou. Perceba o poder terapêutico da mudança de ponto de vista de vítima impotente para quem você realmente é: um sobrevivente, uma pessoa forte.

- **Aproveite sua liberdade.** Elabore um quadro de imagens, uma representação visual do que você quer criar ou adotar em sua vida. Recorte figuras e palavras de revistas, calendários antigos, etc. Não há regras, apenas escolha o que atrai seu olhar. Cole as imagens e palavras numa cartolina ou quadro de avisos. Perceba os padrões que surgem. (Esse é um ótimo exercício para fazer junto com amigos queridos e bastante comida.) Mantenha seu quadro por perto e olhe para ele diariamente. Deixe que essa criação intuitiva indique o caminho a seguir.

CAPÍTULO 2

SEM PROZAC EM AUSCHWITZ

A prisão da negação

Um dia, quando morávamos num apartamento pequeno em Baltimore, Marianne, então com 5 anos, chegou da escola chorando. Ela não havia sido convidada para uma festa de aniversário. Estava devastada de tristeza, o rosto vermelho e molhado de lágrimas. Eu não sabia como lidar com sentimentos. Também não sabia como deixar que ela experimentasse o que sentia. Naquela época, eu estava em total negação em relação ao meu passado. Nunca havia falado de Auschwitz. Nem mesmo minhas filhas sabiam que eu era uma sobrevivente até que Marianne leu um livro sobre o Holocausto no ensino médio. Quando ela mostrou ao pai as fotos de pessoas esqueléticas e famintas em Auschwitz e quis saber que calamidade terrível levou tanta gente a morrer atrás de cercas de arame farpado, fiquei arrasada ao ouvi-lo contar que eu havia sido prisioneira lá. Eu me escondi no banheiro, sem saber como encarar minha filha.

Quando Marianne chegou chorando do jardim de infância, a tristeza dela me deixou triste e desconfortável. Então, segurei sua mão e a levei até a cozinha, onde preparei um milk-shake de chocolate e servi uma grande fatia de torta de chocolate húngara, aquela que leva sete camadas. Essa era a minha solução – comer algo doce. Cure seu desconforto comendo. A comida era minha resposta para tudo. (Especialmente chocolate. E especialmente chocolate húngaro, com manteiga sem sal. Nunca use manteiga com sal para cozinhar qualquer coisa húngara!)

Eu não sabia disso na época, mas enfraquecemos nossos filhos quando tentamos afastá-los do sofrimento. Ensinamos a eles que os sentimentos são assustadores. Mas um sentimento é só um sentimento. Não existe certo ou errado. Não deveríamos tentar entender o que os outros sentem ou tentar animá-los. É melhor deixar a emoção fluir e simplesmente ficar ao lado, dizendo "Conte mais". Não diga o que eu costumava dizer a meus filhos quando eles ficavam chateados por serem alvo de zombaria ou rejeição: "Sei como você se sente." Trata-se de uma mentira. Ninguém sabe como o outro se sente. Não está acontecendo com você. Para ser compreensivo e solidário não é preciso assumir a vida interior das outras pessoas como se fosse sua. Essa é outra forma de roubar a experiência do outro e de mantê-lo preso.

Gosto de lembrar a meus pacientes que o oposto da depressão é a *expressão.*

O que você expressa não o deixa doente, mas o que mantém preso sim.

Conversei recentemente com um homem que atua como conselheiro no sistema de lar temporário para crianças em situação de risco do Canadá. Ele ajuda os jovens a lidar com o sofrimento pela perda da família, da estabilidade e da segurança que muitos nunca chegaram a ter. Perguntei o que o motivava nesse trabalho e ele me contou uma conversa que teve com o pai, que estava morrendo de câncer. "Por que o senhor acha que teve câncer?", ele perguntou. O pai respondeu: "Porque nunca aprendi a chorar."

É claro que muitos fatores contribuem para o potencial de saúde e doença de cada pessoa, e é muito prejudicial acreditar que somos responsáveis por nossas doenças. No entanto, posso dizer com certeza que as emoções que não nos permitimos expressar ou liberar ficam presas dentro de nós, e o que quer que estejamos reprimindo afeta a química do nosso corpo e se expressa em nossas células e circuitos neurais. Na Hungria, dizemos "Não engula sua raiva". Pode ser perigoso guardar os sentimentos e mantê-los reprimidos.

Tentar proteger os outros ou a nós mesmos dos sentimentos não funciona a longo prazo. Porém, em geral somos treinados desde cedo a esconder nossas emoções e a abandonar nosso verdadeiro eu. A criança diz "odeio a escola" e os pais respondem que "ódio é uma palavra forte", "não diga que odeia" ou "não pode ser *tão* ruim". A criança cai, esfola o joelho, e o adulto fala que "não foi nada". Ao tentar ajudar a criança a se recompor, a se recuperar do machucado ou de uma dificuldade, adultos bem-intencionados minimizam o que ela sente, ou, ainda, inadvertidamente ensinam que ela tem permissão para sentir algumas coisas, mas outras não. Muitas vezes os sinais para mudar ou negar um sentimento são menos sutis: *Deixe de drama! Parte pra outra. Não se comporte como um bebê chorão.*

As crianças aprendem mais pelo que observam de nossos atos do que pelo que falamos. Se os adultos criam um ambiente familiar onde a raiva não pode ser demonstrada ou é expressa de forma prejudicial, as crianças aprendem que sentimentos fortes não são permitidos nem seguros.

Muitas pessoas têm o hábito de reagir em vez de responder ao que está acontecendo. Em geral, aprendemos a nos esconder de nossas emoções – reprimindo, tomando remédio ou fugindo delas.

Um de meus pacientes, um médico viciado em medicamentos tarja preta, me ligou um dia bem cedo. "Dra. Eger, eu me dei conta ontem à noite de que não existia Prozac em Auschwitz", disse ele. Demorei um tempo para assimilar o que ele havia acabado de dizer. Mas era uma observação interessante. Existe uma enorme diferença entre se automedicar, como ele vinha fazendo, e tomar remédios essenciais que têm o potencial para salvar vidas. Ele começou a buscar externamente uma fuga para seus sentimentos e se viciou em remédios de que não precisava.

Em Auschwitz, nada vinha de fora. Não havia meio de nos anestesiarmos, relaxar, espairecer, muito menos esquecer a realidade da tortura, da fome e da morte iminente. Tivemos que aprender a ser bons observadores de nós mesmos e das nossas circunstâncias. Tivemos que aprender a simplesmente ser.

Apesar de tudo, não me lembro de chorar nos campos. Eu estava muito ocupada sobrevivendo. As emoções vieram depois. Mesmo assim, por muitos anos consegui evitá-las e continuei fugindo delas.

Você não pode curar o que não sente.

Mais de trinta anos depois da guerra, devido a meu trabalho como especialista em trauma do exército dos EUA, fui convidada a participar de um comitê de aconselhamento para prisioneiros de guerra. Toda vez que eu ia a Washington para uma reunião do comitê alguém me perguntava se eu conhecia o Museu em Memória do Holocausto. Eu já havia ido a Auschwitz, pisado no mesmo local onde fui separada dos meus pais e estado sob o céu que recebeu seus corpos enquanto eles se tornavam fumaça. Por que iria a um museu sobre Auschwitz e outros campos de concentração? *Eu estive lá, eu vivi isso*, pensava. Por seis anos fiz parte do comitê e por seis anos evitei colocar os pés no museu. Numa manhã, estava sentada à mesa de mogno na sala de reuniões do comitê, com meu nome gravado na plaquinha à minha frente, e enfim percebi que aquilo era o passado e que isso é o presente. Sou a Dra. Eger. Eu consegui sobreviver.

Você não pode curar o que não sente.

Por mais que eu conseguisse evitar o museu, que me convencesse de que tinha superado o passado e que não precisava enfrentá-lo novamente, uma parte de mim ainda estava presa lá. Essa parte não era livre.

Portanto, tomei coragem e visitei o museu – o que foi tão aflitivo quanto eu temia. Emocionada ao ver as fotografias da plataforma de chegada do trem em Auschwitz, em maio de 1944, eu quase não conseguia respirar. Depois deparei com o vagão de carga. Era uma réplica de um antigo vagão alemão construído para transportar animais. Os visitantes podiam entrar no espaço escuro e pequeno e sentir como era viajar praticamente em cima das outras pessoas. Também dava para imaginar como era dividir com centenas de pessoas um balde de água e outro balde para dejetos, viajar dias e noites inteiras sem paradas e compartilhar com oito ou dez outros prisioneiros um único pão. Fiquei paralisada do lado de fora do vagão. Completamente travada. As pessoas faziam fila atrás de mim, esperando de forma respeitosa, em silêncio, que eu as deixasse passar. Por alguns minutos não consegui me mexer. Precisei usar toda a minha força para dar um passo, depois outro, até cruzar a porta estreita.

Lá dentro, uma onda de terror tomou conta de mim e pensei que ia vomitar. Dobrei o corpo, revivendo os últimos dias em que vi meus pais e ouvi o implacável ruído das rodas nos trilhos.

Quando eu tinha 16 anos, não sabia que estávamos indo para Auschwitz. Não sabia que logo meus pais seriam mortos. Eu precisava sobreviver ao desconforto e à incerteza. Mas, de alguma forma, tinha sido mais fácil do que reviver tudo aquilo. Desta vez eu precisava sentir tudo. Desta vez eu chorei. Perdi a noção do tempo sentada lá no escuro com a minha dor, mal percebendo o entra e sai dos outros visitantes naquela sala escura. Fiquei lá sentada por uma hora, talvez duas.

Quando finalmente saí, me senti diferente. Um pouco mais leve. Esvaziada. Todo o sofrimento e o medo desapareceram. Cada suástica nas fotografias e cada olhar endurecido de um oficial da SS me faziam estremecer, mas eu me permiti revisitar o passado e enfrentar os sentimentos dos quais fugia havia tantos anos.

São muitas as razões pelas quais evitamos os sentimentos: eles são desconfortáveis, podem magoar as outras pessoas, podem revelar nossas intenções e escolhas.

Mas ao evitar seus sentimentos, você está negando a realidade. E se você tentar ignorar algo que sente, dizendo "Não quero pensar nisso", eu garanto que você vai pensar nisso. Portanto, aceite o sentimento, reflita sobre ele, mantenha-o por perto. Depois, decida por quanto tempo você vai segurá-lo. Você não é uma pessoa frágil. É preciso enfrentar a realidade, seja ela qual for. Parar de brigar e se esconder. Lembre-se de que um sentimento é apenas um sentimento – não é a sua identidade.

Um sentimento é apenas um sentimento –
não é a sua identidade.

Numa manhã de setembro, há 16 anos, Caroline estava colocando roupa para lavar, desfrutando de um dia tranquilo sozinha em casa numa área rural do Canadá, quando ouviu uma batida na porta. Pela janela da frente, ela viu que era Michael, o primo de seu marido. Michael tinha a mesma idade dela, 40 e poucos anos. Ele se envolvera em problemas durante grande parte da vida – roubo, pequenos delitos, drogas – e finalmente estava pronto para recomeçar. Embora ele tivesse ido morar com a namorada há pouco tempo, Caroline e o marido haviam sido os familiares que o ajudaram a mudar de vida, hospedando-o por um tempo, arranjando-lhe um emprego e um ambiente estável. Michael se tornara um agregado na vida deles, um adulto confiável que com frequência vinha jantar com Caroline, o marido e seus três enteados.

Por mais que se preocupasse com Michael e se sentisse bem em ajudá-lo, por um segundo Caroline pensou em fingir que não estava em casa. Seu marido tinha viajado, os meninos haviam enfim voltado a estudar depois das férias de verão e ela não queria que a visita de Michael interrompesse todas as coisas que tinha planejado fazer em sua primeira manhã sozinha em três meses. Mas era Michael, um parente que ela amava, que também a amava, que contava com sua família. Então ela abriu a porta e o convidou para tomar um café.

– Os meninos já estão de volta à escola – disse ela, enquanto colocava as canecas e o creme na mesa.

– Eu sei.

– Tom também ficará fora por uns dias.

Foi nesse momento que ele sacou a arma, encostou-a na cabeça dela e mandou que se deitasse no chão. Caroline se ajoelhou perto da geladeira.

– O que você está fazendo? – perguntou. – Michael, o que você está fazendo?

Ela podia ouvi-lo tirando o cinto e abrindo o zíper do jeans.

Sua garganta estava seca; o coração, aos pulos. Como havia feito aula de defesa pessoal na faculdade, Caroline sabia o que deveria dizer caso alguém tentasse agredi-la sexualmente. Use o nome do agressor. Fale sobre a família. Ela manteve o fluxo de palavras, a voz curiosamente segura e firme, conversando sobre os pais de Michael, os meninos, as férias em família, os locais de pesca favoritos.

– Tudo bem, não vou estuprar você – disse ele, enfim. O tom de voz foi tão leviano e casual que ele parecia estar falando "Acho que não vou tomar o café".

Mas Michael mantinha a arma pressionada à cabeça de Caroline. Ela não podia ver o rosto dele. Será que estava drogado? O que ele queria? Ele parecia ter planejado isso, pois sabia que a encontraria sozinha em casa. Será que ia roubá-la?

– Pegue o que quiser – disse ela. – Você sabe onde as coisas estão. Simplesmente pegue o que quiser.

– É isso mesmo que vou fazer.

Ela sentiu que ele se movimentou, como se estivesse se preparando para se afastar, mas parou novamente, mantendo a arma encostada com força em seu crânio.

– Não sei por que estou fazendo isso.

Um barulho ecoou na sala. A cabeça de Caroline latejou e ardeu de dor.

A próxima coisa de que ela se lembra foi do momento que recobrou a consciência. Não sabia por quanto tempo havia ficado desmaiada no chão da cozinha. Não conseguia ver nada. Tentou se levantar, mas tinha tanto sangue que ela não parava de escorregar, caindo outra vez no chão.

Foi quando ouviu passos na escada do porão.

– Michael? – chamou. – Por favor, me ajude.

Não fazia o menor sentido pedir ajuda à pessoa que tinha acabado de atirar nela, mas foi um reflexo. Ele era da família. E não havia mais ninguém lá para socorrê-la.

– Michael? – chamou novamente.

Outro disparo. Uma segunda bala explodiu na parte de trás de sua cabeça.

Dessa vez, Caroline não desmaiou, então se fingiu de morta. Ficou deitada no chão, tentando não respirar. Ela podia ouvir Michael andando pela casa. Esperou, esperou, mantendo-se imóvel até que ouviu a porta se fechar. Ainda assim, continuou deitada no chão. Talvez Michael estivesse querendo testá-la, tentando enganá-la, esperando que ela se levantasse para atirar outra vez. Mais do que a dor, mais do que o terror, o que ela sentia era raiva. Como ele ousava fazer aquilo? Como ousava deixá-la ali para morrer, para que os meninos a encontrassem quando voltassem da escola? De jeito nenhum ela se permitiria morrer sem denunciar quem havia lhe feito aquilo, antes de conseguir fazer Michael ser preso para evitar que ele machucasse mais alguém.

Finalmente a casa ficou silenciosa. Caroline abriu os olhos, mas não conseguia enxergar nada. As balas haviam atingido algo em seu cérebro ou no nervo óptico. Ela se arrastou cambaleante pela cozinha, se agarrou no balcão para se erguer e tateou até achar o telefone. Era difícil segurar o aparelho, que escorregava de suas mãos ensanguentadas. Quando conseguiu agarrá-lo, lembrou que não podia ver os números. Passou a clicar de forma aleatória nos botões, mas o telefone caiu. Caroline pegou novamente o aparelho e tentou discar mais uma vez. Mas não conseguia fazer a ligação.

Então Caroline desistiu e se arrastou com lentidão, sem ver para onde estava indo nem pensar no que iria fazer. De vez em quando ela percebia um flash de luz em meio à névoa da cegueira e assim conseguiu chegar à porta da frente e sair. Seu terreno tinha dois alqueires e o vizinho mais próximo ficava longe demais para ouvi-la gritar. Ela teria que rastejar para obter ajuda. Arrastou-se até a entrada da garagem e seguiu até a estrada em frente, gritando sem parar. Soube que alguém finalmente a ouvira quando escutou a voz de uma mulher num gemido alto, como num filme de terror. Logo chegaram pessoas correndo. Alguém gritou para chamarem uma ambulância. Caroline reconhecia algumas das vozes dos vizinhos, mas eles pareciam não saber quem ela era. Seu rosto devia estar tão desfigurado e ferido que não a reconheceram.

Ela falou rápido, dando todos os detalhes: o nome de Michael, a cor do carro dele, a hora aproximada em que ele apareceu na casa, tudo de que conseguia se lembrar. Ela podia não ter outra chance.

– Liguem para os meus sogros – pediu, ofegante. –Peça a eles que se certifiquem de que os meninos estão seguros na escola. Digam a Tom e aos meninos que os amo.

Caroline sabe que seus pais, sogros e enteados foram ao hospital para se despedir, que seu sogro chamou um padre católico e que sua mãe pediu a presença de um pastor anglicano. O padre católico ministrou os últimos sacramentos.

Semanas depois, o padre a visitou na casa dos sogros, onde ela estava se recuperando, e lhe disse:

– Não conhecia alguém que tivesse voltado.

– Voltado de onde? – perguntou.

– Minha querida – falou ele –, você estava gelada sobre a mesa.

É realmente um milagre que Caroline tenha sobrevivido.

No entanto, se você já passou por um trauma e viveu para contar a história, sabe que sobreviver é apenas a primeira batalha.

A violência deixa um rastro longo e terrível. Quando Caroline me procurou, alguns meses antes de Michael receber a liberdade condicional, quase dezesseis anos tinham se passado desde o atentado, mas as feridas psicológicas ainda estavam vivas.

– Nós vemos histórias na TV – disse ela – sobre alguém que sofreu um trauma e está voltando para casa. As pessoas comentam: "Vamos levá-lo para casa agora e deixá-lo seguro para que possa seguir com a vida." Eu olho para o meu marido e digo: "Se elas soubessem." O fato de ter sobrevivido e ir para casa não torna a vida melhor num passe de mágica. Qualquer um que sofreu um trauma tem um longo caminho a percorrer.

Para Caroline, assim como para mim, alguns efeitos residuais do trauma são físicos. Conforme o inchaço em seu cérebro diminuía, a visão de Caroline ia aos poucos voltando, mas ainda faltava recuperar a visão periférica, para cima e para baixo. Sua audição também foi afetada. Seus braços e suas mãos sofrem de neuropatia periférica e quando ela fica nervosa, seu corpo e seu cérebro parecem desconectados. Caroline tem dificuldade de sentir e movimentar os membros.

O crime também afetou sua família e a comunidade. Todos foram obrigados a encarar a atrocidade cometida por uma pessoa querida, um vizinho, um amigo – e a conviver com essa terrível quebra de confiança. Por muito tempo, o enteado mais novo de Caroline, que tinha 8 anos quando o ataque aconteceu, não a deixava sozinha. Ela tentava persuadi-lo a se juntar aos irmãos ou ao restante da família, mas ele dizia: "Não, vou ficar aqui com você. Sei que você não gosta de ficar sozinha." Quando ela voltou a andar e se tornou um pouco mais independente, seu enteado mais velho assumiu um papel protetor, acompanhando-a por todo lado para impedir que ela se machucasse. E também por um longo período, seu enteado do meio não a abraçou ou tocou. Tinha medo de machucá-la.

Caroline me disse que enquanto alguns amigos e parentes lidaram com o trauma tornando-se superprotetores, outros minimizaram a gravidade da situação.

– De maneira geral, as pessoas ficam incomodadas quando tomam conhecimento do que aconteceu – comentou ela. – Elas não querem falar sobre isso. Acham que se não falarem, a situação não existe. Acham que já passou e que devemos seguir em frente. Ou chamam a situação de "acidente". Eu não esbarrei *acidentalmente* numa arma, mas as pessoas não querem usar palavras como "crime" ou "atentado".

Mesmo seu sogro, tio de Michael – que estava presente logo depois do ataque e que hospedou Caroline e sua família durante três ou quatro meses porque ela não podia cuidar de si mesma –, diz às pessoas que ela está 100% recuperada.

Isso o faz se sentir melhor.

Hoje em dia, sob muitos aspectos, a estabilidade voltou. Os meninos já são adultos, se casaram e têm seus próprios filhos. Caroline e o marido moram nos Estados Unidos, a milhares de quilômetros de distância de Michael, do outro lado de uma fronteira internacional, onde as chances de serem localizados por ele em busca de vingança são mínimas, quase inexistentes. Mas o medo de Caroline não desapareceu.

– Ele fazia parte da família. Morou em nossa casa. Confiamos nele e a última coisa que Michael me disse foi: "Não sei por que estou fazendo isso." Se ele não sabia e, mesmo sendo da família, tentou me matar, quem mais vai tentar me ferir sem motivo algum?

Caroline admitiu para mim que vive o tempo todo com medo, sempre na expectativa de que alguém chegue e termine o que Michael começou. Não sai para o jardim, algo que adorava fazer, porque alguém poderia aparecer por atrás e ela não perceberia que a pessoa estava lá. Mesmo dentro de casa, Caroline fica permanentemente em alerta. Não desgruda do botão de alarme para o caso de alguém forçar a entrada na casa. E quando esquece onde colocou o alarme, sente falta de ar até encontrá-lo.

– Por um tempo eu voltei a morar na casa onde ele me baleou – contou Caroline. – Não pretendia deixar que ele me tirasse a casa. Eu queria recuperá-la.

Mas foi apavorante e doloroso viver no lugar onde ela quase morreu. Mudaram-se para bem longe, para uma comunidade segura e amigável no sul dos Estados Unidos, perto de um lago lindo onde eles passeiam de barco nos fins de semana. Mesmo assim, ela vive assustada.

– Dezesseis anos vivendo desse jeito não é viver – afirmou.

Ela se sentia prisioneira do passado e queria desesperadamente se libertar.

Enquanto conversávamos, identifiquei muito amor, força e determinação em Caroline. Também reconheci quatro comportamentos que a estavam mantendo presa no passado e no medo.

Por um lado, ela estava investindo muita energia na tentativa de mudar seus sentimentos, convencendo-se de que era preciso se sentir diferente da maneira que estava se sentindo.

– Eu sou abençoada – disse ela. – Sei que sou. Estou viva. E tenho todas essas pessoas que me amam.

– Sim! – exclamei. – É verdade. Mas não tente se animar quando você está triste. Não vai adiantar. Você vai apenas se sentir culpada porque devia estar se sentindo melhor do que de fato está. Procure fazer o seguinte: reconheça os sentimentos. Angústia. Medo. Tristeza. Simplesmente os reconheça e então desista de ganhar a aprovação dos outros. Eles não podem viver a sua vida. Não podem sentir os seus sentimentos.

Além de buscar se convencer de que a tristeza e o medo que experimentava eram sentimentos naturais, Caroline vivia na prisão de tentar proteger os *outros* de seus sentimentos. Quem nos ama quer o melhor para nós. Não quer que a gente sofra. Portanto, é tentador mostrar nossa melhor versão, aquela que eles querem ver. Porém, quando negamos ou minimizamos o que sentimos, o resultado é o oposto.

Caroline me contou que, desde o atentado, ela e o marido sempre tiveram cães. Recentemente, quando seu cachorro morreu, o marido, sem entender quanto o animal melhorava sua sensação de segurança, disse que precisava dar um tempo antes de arranjar outro.

– Fiquei muito irritada – contou. – Mas não podia dizer isso a ele. O mais lógico teria sido falar: "Tenho medo de ficar sozinha sem um cachorro", mas não consegui. Acho que ele entenderia, mas não queria que ele soubesse que eu ainda sinto muito medo. Não sei explicar a razão.

Eu disse a Caroline que ela pretendia evitar que o marido se preocupasse. Que sentisse culpa. Mas ela também estava deixando-o de fora, impedindo que ele entrasse em sua vida. Negando a ele a oportunidade de tentar protegê-la.

Caroline admitiu que fazia a mesma coisa com seus filhos.

– Acho que eles não sabem quanto sou prisioneira. Tento não deixar que percebam.

– Mas você está mentindo. Não está se mostrando inteira para sua família. Você está se privando de liberdade, e a eles também. Sua estratégia para lidar com as emoções difíceis se tornou outro problema – expliquei.

Ao proteger os outros de seus sentimentos, Caroline evitava assumir a responsabilidade por eles.

E ao continuar morrendo de medo, conferia poder demais a Michael e ao passado.

– Meu marido e eu estávamos casados havia três anos – contou ela. – Começávamos a nos ajeitar como uma nova família, os meninos me aceitando como sua mãe, iniciando uma vida linda. E Michael tirou isso de nós.

Seu queixo ficou crispado. As mãos se fecharam com força.

– Tirou? – questionei.

– Michael me escolheu. Veio até minha casa com uma arma. Atirou duas vezes na minha cabeça e me deixou lá para morrer.

– Sim, ele tinha uma arma. Sim, você fez o que tinha que fazer para se manter viva. Mas ninguém pode tirar sua vida interior ou suas reações. Por que dar mais poder a ele?

Caroline foi vitimizada de um modo terrivelmente cruel e violento. Portanto, tinha todo direito a cada um desses sentimentos: ódio, angústia, medo e tristeza. Michael quase roubou sua vida. Mas isso ocorrera dezesseis anos atrás. Mesmo quando ele obteve liberdade condicional, não passava de uma ameaça distante, sem permissão para viajar e sem maneiras de encontrar Caroline. No entanto, ela estava dando poder a Michael, permitindo que ele se mantivesse vivo em seu corpo. Ela precisava se livrar disso. Precisava demonstrar e liberar seu ódio para que ele não continuasse a contaminar sua vida interior.

Pedi que ela colocasse mentalmente Michael numa cadeira, o amarrasse, batesse nele, gritasse com ele. "Como você pode fazer isso comigo?" A ideia era liberar sua raiva. Colocá-la para fora.

Caroline tinha medo até de expressar seu medo.

– O medo foi aprendido. Você não tinha ideia do que era medo quando nasceu. Não deixe que ele domine sua vida. Amor e medo não combinam. Basta. Você não tem tempo para viver com medo – afirmei.

– Se eu me irritar com ele e bater nele não vai sobrar nada na cadeira – declarou ela.

– Ele era uma pessoa doente. Pessoas doentes têm a mente doente. E você pode escolher quanto tempo vai deixar as escolhas de uma pessoa doente lhe afastarem da vida que deseja – expliquei.

– Não quero mais ser tão assustada e triste – disse ela. – Sou solitária. Evito fazer novos amigos e ter novas experiências. Eu me fechei. Meu rosto está sempre contraído e chateado. A tensão deixa minha boca repuxada. Acho que meu marido gostaria de ter de volta a mulher alegre com quem ele se casou. Eu *gostaria* de resgatar a mulher alegre com quem ele se casou.

"Sem essa de não, não, não.
Quero lhe dar um monte de sins."

Às vezes, os sentimentos que ignoramos não são os mais desconfortáveis ou dolorosos. Às vezes, evitamos os sentimentos *bons*. Nós nos fechamos para a paixão, o prazer e a felicidade. Quando nos tornamos vítimas, uma parte da nossa psique se identifica com o agressor e, algumas vezes, adotamos essa postura punitiva e vitimizadora em relação a nós mesmos – negando a permissão para nos sentirmos bem e nos privando de algo que é nosso direito: a alegria. É por isso que eu digo que a vítima de ontem pode facilmente tornar-se o algoz de hoje.

Quanto mais você exercita algo, mais melhora naquilo. Se exercitar a tensão, ficará mais tenso. Se exercitar o medo, sentirá mais medo. A negação levará a mais negação da sua verdade. Caroline desenvolveu a prática da paranoia. *Não dirija muito rápido. Não acelere tanto o barco. Não vá lá. Não faça isso.*

– Sem essa de *não, não, não*. Quero lhe dar um monte de sins – disse a ela. – Sim, eu tenho escolha. Sim, tenho uma vida para viver. Sim, tenho um propósito. Sim, eu vivo no presente. Sim, presto atenção no que é importante para mim e no que está alinhado com os objetivos que escolhi: o que me dá prazer e alegria.

Propus a ela um exercício:

– Quero que você se dedique a observar os seus sentidos: visão, toque, olfato, paladar. Está na hora de sorrir, de gargalhar. Está na hora de ser alegre.

– Estou viva – afirmou Caroline. – Estou tão feliz por estar viva.

– Sim. Agora não se esqueça de colocar em prática essa felicidade todo dia, todo minuto, na maneira como você ama e fala consigo mesma.

Passei mais um exercício de liberdade para ela praticar. Pedi que escrevesse sobre o que aconteceu e depois que fosse ao quintal com uma pá e abrisse um buraco. "Continue cavando até que o buraco tenha pelo menos 90 centímetros de profundidade, e enterre esse papel. Coloque a terra de volta e entre na casa, pronta para renascer e para um novo início porque você 'enterrou' aquela parte da sua vida."

Um mês depois, Caroline me escreveu para contar que havia voltado ao Canadá para conhecer seu neto recém-nascido e que, com o marido, tinha passado por sua antiga casa, aquela onde ela fora baleada. O carvalho e o bordo, árvores jovens na época em que moraram lá, estavam enormes. Os atuais donos acrescentaram um novo deque na frente da casa. *Por alguma razão passar por lá não me deixou tão triste quanto antes*, ela escreveu. A amargura que ela sentia por tudo o que eles haviam abandonado diminuiu.

Esse é o resultado de enfrentar o passado e liberá-lo. Nós seguimos em frente. Não estamos mais presos nele.

Quando nos habituamos a negar nossos sentimentos, pode ser difícil até mesmo identificar o que sentimos, quanto mais viver o sentimento, expressá-lo e, por fim, liberá-lo. Uma forma de ficar preso nessa ciranda é confundir pensamentos com sentimentos. Fico surpresa com a frequência com que ouço as pessoas dizendo coisas como "Sinto que eu deveria ir até o centro da cidade esta tarde para resolver algumas coisas" ou "Sinto que reflexos nos cabelos vão realmente dar destaque aos seus olhos". Essas frases não revelam sentimentos. São apenas pensamentos. Ideias. Planos. Sentimentos são energia. Dos sentimentos não podemos escapar, podemos apenas vivê-los. Temos que aceitá-los. É preciso muita coragem para se permitir ser, sem ter que fazer nada em relação a nada – apenas ser.

Outro dia, recebi a ligação de um homem cujo pai sofria de uma doença terminal. Ele perguntou se eu podia fazer o favor de visitar seu pai e sua família. Já vi muitas coisas difíceis na minha vida, mas o sofrimento dessa família realmente me impressionou. O pai estava confinado em uma cadeira de rodas e não conseguia falar, comer ou se movimentar sozinho. A mulher e o filho, muito tensos, andavam para lá e para cá, ajeitando o cobertor e reposicionando os braços e as pernas do doente, fazendo o possível para diminuir seu desconforto, embora sem qualquer possibilidade de interromper o progresso da doença.

Eu não sabia o que seria útil para aquele homem ou para a família. Fiquei quieta. Pedi que a esposa segurasse sua mão, lhe desse um beijo e ficasse ali enquanto eu segurava a outra mão. Nossos olhos se encontraram e pude ver o quanto ele estava se sentindo incapaz e impotente. O simples fato de estarmos presentes funcionou como uma permissão para que ele deixasse fluir tudo o que sentia, sem julgamentos. Juntos, nos esforçamos ao máximo para ficarmos confortáveis no desconforto. Permanecemos sentados ali um bom tempo.

O filho me ligou quatro dias depois para dizer que o pai falecera. Falei que achava que pouco havia feito para apoiá-los, mas o filho garantiu que eu os ajudara imensamente. Para eles talvez tenha sido útil a oportunidade de se sentirem presentes. Fazer companhia um ao lado do outro, aceitar a doença e a nossa mortalidade, sem ceder à necessidade de fixar ou alterar qualquer parte disso.

Inspirada por essa família, consegui fazer algo que nunca havia sido capaz antes. Detesto ficar confinada ou presa porque isso me faz entrar em pânico. Sempre pedi para ser sedada ao me submeter a exames rotineiros de ressonância magnética. Porém, na semana passada, decidi experimentar fazer o exame sem nenhuma medicação para relaxar.

A máquina de ressonância magnética é escura e fechada, além de muito barulhenta. Meu corpo deslizou para dentro da máquina e a barulheira começou. Deitada dentro do tubo, vestindo apenas o roupão hospitalar e com a coluna torta em contato direto com o colchonete de plástico, senti o medo tomando conta de mim. O barulho era tão alto que dava a impressão de que bombardeiros se aproximavam para soltar sua carga, como se o prédio fosse explodir e virar um monte de escombros. Achei que fosse começar a gritar e a chutar e que teriam que me tirar dali, mas disse a mim mesma: "Quanto mais barulho eu escuto, mais relaxada eu fico." E assim foi. Aguentei quarenta minutos na máquina sem um remedinho. A capacidade de ficar imóvel no desconforto não acontece de um dia para o outro. Mas, à medida que os anos passam, eu sigo praticando.

É dessa forma que nos libertamos da prisão da negação. Basta deixar os sentimentos aflorarem. Deixar que se mostrem para então liberá-los.

ESTRATÉGIAS PARA SE LIBERTAR DA NEGAÇÃO

- **Sentimentos curam.** Incorpore exercícios diários para verificar os seus sentimentos. Escolha momentos de atividades rotineiras, por exemplo quando estiver sentado à mesa para fazer uma refeição, na fila do caixa do mercado ou escovando os dentes. Inspire profundamente algumas vezes e pergunte-se: "O que estou sentindo agora?" Analise seu corpo em busca de sensações como rigidez, formigamento, prazer ou dor. Veja se consegue identificar um sentimento e dar um nome para ele, sem julgar ou tentar mudá-lo.

- **Tudo é temporário.** Quando observar os seus sentimentos nesses momentos neutros se tornar um hábito confortável, passe a tentar se relacionar com eles ao experimentar uma forte emoção, positiva ou negativa. Se puder, afaste-se da situação ou da interação que está provocando a sensação de alegria, angústia, raiva e assim por diante. Sente-se em silêncio por um momento e respire – fechar os olhos ou descansar as mãos no colo ou abdômen pode ajudar. Comece dando um nome a seu sentimento. Depois, veja se consegue localizá-lo em seu corpo. Seja curioso. Está quente ou frio? Relaxado ou tenso? Será que queima, dói ou lateja? Por fim, observe como o sentimento muda ou se dissipa.

- **O oposto da depressão é a expressão.** Pense numa conversa recente com um amigo, parceiro, colega ou membro da família em que você evitou dizer o que sentia. Nunca é tarde demais para assumir a responsabilidade por seus sentimentos e expressar a sua verdade. Diga à pessoa que tem refletido sobre a conversa e que gostaria de conversar mais. Reserve um tempo para isso e fale coisas como: "Eu não sabia como expressar isso na época, mas percebi que estava sentindo ____________ quando ____________."

CAPÍTULO 3

TODOS OS OUTROS RELACIONAMENTOS VÃO TERMINAR

A prisão da autonegligência

Um de nossos primeiros medos é o do abandono. Assim, aprendemos desde cedo a obter os três As: atenção, afeição e aprovação. Descobrimos o que fazer e quem devemos nos tornar para ter nossas necessidades atendidas. O problema não é fazer essas coisas – é continuar a fazê-las. E achar que isso é fundamental para sermos amados.

É muito perigoso colocar toda a sua vida nas mãos dos outros. Você é o único com quem vai poder contar por toda a vida. Todos os outros relacionamentos vão terminar. Portanto, como você pode ser a pessoa mais amorosa, mais dedicada e mais sensata para você mesmo?

Na infância, recebemos todo tipo de mensagem, verbal e não verbal, que molda nossas convicções sobre nossa importância e valor. E levamos conosco essas mensagens até a idade adulta.

O pai de Brian abandonou a família quando ele tinha 10 anos. Isso transformou Brian no homem da casa, cuidando da mãe, fazendo tudo que podia a fim de facilitar a vida dela e aliviar sua dor, e, acima de tudo, para garantir que ela não fosse embora também. Brian levou essa característica protetora para a vida adulta e continuou escolhendo se relacionar com mulheres carentes. Ele se ressente dos constantes sacrifícios que elas demandam, mas tem dificuldade para estabelecer limites saudáveis. Brian acha que para ser amado é preciso se fazer necessário.

Outro paciente, Matthew, é filho de uma mulher que não escolheu ficar grávida dele. Ela se sentia sacrificada pela maternidade e a abraçou sem nenhum planejamento ou entusiasmo. Quando os pais estão estressados ou decepcionados ou frustrados, as crianças é que pagam a conta, carregando o fardo em sua própria vida. Adulto, Matthew tinha um medo terrível de ser abandonado que se manifestava em explosões de raiva. Era cruel com as namoradas e fazia grosserias em público, gritando com as pessoas. Uma vez, chegou a chutar um cachorro num estacionamento. O medo do abandono era tão grande que Matthew o transformou numa profecia autorrealizável, comportando-se de forma que as pessoas não tinham outra opção a não ser se afastarem dele. Era quando dizia: "Eu sabia que isso ia acontecer." Matthew se tornou quem ele temia na tentativa de controlar o seu medo do abandono.

Mesmo sem ter vivido um evento ou trauma perceptível que obrigasse a lutar para ser amado ou notado pelos outros, quase todo mundo se lembra de alguma vez que protegeu alguém a fim de garantir aprovação. Muitos de nós chegamos a acreditar que somos amados por causa de nossas realizações, do papel que desempenhamos na família ou porque cuidamos das outras pessoas.

Infelizmente, na tentativa de motivar as crianças a se virarem bem por conta própria, muitas famílias criam uma cultura de realizações em que o "ser" da criança se entrelaça com o seu "fazer". Assim, a criança aprende que sua importância se deve não ao que ela é, mas ao seu desempenho e comportamento. As crianças sofrem uma pressão tremenda para tirar boas notas, ser atletas ou musicistas de alto nível, passar em primeiro lugar nos exames de admissão, conquistar um diploma numa faculdade renomada que proporcionará um emprego bem remunerado numa área competitiva. No entanto, recompensar com amor um boletim com notas ótimas ou bom comportamento não é amor! É manipulação. Quando tanta ênfase é dada às realizações, as crianças não conseguem sentir o amor incondicional – que experimentam quando são amadas independentemente de suas realizações, quando são livres para serem elas mesmas, quando podem cometer erros, quando sabem que estamos todos num processo de aprendizado e amadurecimento e quando sentem que aprender é um estímulo e uma alegria.

Meu neto Jordan é fotógrafo e foi contratado recentemente para um trabalho numa escola de teatro em Los Angeles. Um diretor que tinha acabado de ganhar dois Oscars estava visitando a aula de interpretação naquele dia. Alguém lhe perguntou onde ele guardava os troféus. O cineasta surpreendeu a todos ao revelar que os mantinha numa gaveta. "Não quero que meus filhos cheguem da escola todos os dias e vejam meus Oscars e pensem: *O que posso fazer para chegar ao mesmo nível?*", afirmou ele. Dei uma risada quando Jordan me contou isso porque ele também é filho de um homem extraordinariamente bem-sucedido. Seu pai, o marido de Marianne, Rob, ganhou o Prêmio Nobel de Economia. E Rob também guarda seu prêmio em uma gaveta, junto com o abridor de garrafas.

Não há necessidade de esconder nosso sucesso de nossos filhos. Mas esse diretor e o meu querido Rob têm uma maneira interessante de reconhecer que seus prêmios e realizações não sintetizam *quem* eles são. Eles não confundem quem são com o que fazem. Quando confundimos realização com mérito, o sucesso e a decepção podem se tornar um peso para os filhos.

Marianne me contou uma linda história que é uma boa lembrança de um legado bem diferente que podemos escolher deixar. Seu neto Silas – meu bisneto mais velho –, que passava um fim de semana com ela em Nova York, falou: "Vó, eu soube que vovô ganhou um prêmio importante. Posso ver?" Marianne tirou a medalha da gaveta. Silas a olhou por um bom tempo e passou o dedo sobre o nome do avô gravado na placa: Robert Fry Engle, III. Por fim, ele perguntou:

"Meu nome do meio é Fry. Por que está escrito Fry na medalha?" Marianne respondeu: "De quem você acha que veio seu nome?" Silas ficou encantado ao descobrir que parte de seu nome vinha do avô. Mais tarde, um amigo da família veio para jantar e Silas orgulhosamente perguntou: "Você viu meu prêmio?" Ele correu até a gaveta e pegou a medalha. "Viu? Meu nome está aqui. Vovô e eu ganhamos um prêmio."

Não é bom viver assombrado pelo sucesso, sentindo-se sobrecarregado pela necessidade de alcançar certa notoriedade para merecer ser amado. Ainda assim, as qualidades e habilidades de nossos antepassados também fazem parte de nós. São nosso legado. Nosso prêmio. Respeitamos nossos filhos ao criar uma cultura de *alegria* da realização, do trabalho árduo e do estímulo de nossos talentos – não de autovalorização ou humildade, de superação ou fracasso. Não porque seja necessário, mas porque somos livres para fazer isso e porque somos abençoados com a dádiva da vida.

Minha filha Audrey e seu filho David me ensinaram muito sobre como cultivar talentos em vez de atender expectativas.

David é incrivelmente inteligente e criativo. Assim que aprendeu a ler, desenvolveu uma memória fotográfica para estatísticas esportivas. Nunca me esquecerei do dia em que estávamos assistindo a *O Mágico de Oz* e ele, na época com 2 anos, deduziu que a mulher na bicicleta em plena tempestade era a Bruxa Má. Embora se destacasse em atividades extracurriculares no ensino médio – jogando futebol, compondo músicas, cantando no coral, criando o primeiro clube de comédia da escola – e tirasse notas altas em testes padronizados, seu boletim era um problema. Audrey e o marido, Dale, eram sempre chamados à escola porque David corria o risco de perder o ano por causa de algumas matérias. No último ano, quando foi aceito em duas pequenas faculdades, ele avisou aos pais que não se sentia preparado para cursar o ensino superior.

A educação sempre foi um valor importante em nossa família, em parte porque Béla e eu perdemos oportunidades quando nossa vida foi interrompida pela guerra. Mas Audrey não culpou David ou o obrigou a ir para a faculdade. Ela escutou o que ele tinha a dizer. E quando ela soube da nova escola de música que estava abrindo em Austin, onde eles moravam, disse a David que, se ele conseguisse entrar, podia tirar um ano sabático estudando música e depois pensar em seus planos para a faculdade. David não hesitou em se inscrever, gravou um demo com canções originais e conquistou uma vaga na escola de música.

Ter tempo para se concentrar em algo de que gostava e no qual era bom, além de sentir-se apoiado pelos pais ao fazer as coisas no seu ritmo, deu a David foco e motivação para, mais tarde, seguir a carreira que quisesse. Quando entrou na faculdade, com uma bolsa de estudos para cantar no coro, ele sabia o que queria fazer e realmente queria estar lá. Ele fez uma escolha que o agradou, não uma que atendesse à expectativa dos outros. Ele se formou em jornalismo e tem um emprego que adora, como especialista em esportes. E a música continua a ser uma parte importante e alegre de sua vida. Fico emocionada e impressionada com a sabedoria de Audrey e Dale, e com a capacidade que David tem de conhecer e expressar a sua verdade.

Com bastante frequência somos limitados pelas expectativas, pela sensação de que temos um papel específico ou uma função a cumprir. Nas famílias, às vezes as crianças são rotuladas: a responsável, a brincalhona, a rebelde. Quando damos um rótulo às crianças, elas entram no jogo. E quando a família tem o "melhor" – alguém que se destaca em algo ou faz o tipo bom menino / boa menina – em geral há também o "pior". É como diz uma de minhas pacientes: "Meu irmão era muito levado. Então, meu jeito de chamar atenção foi sendo cooperativa e certinha." Mas o rótulo não é uma identidade. É uma máscara ou uma prisão. Minha paciente resumiu isso muito bem: "Você só consegue ser a boa menina por um tempo. Borbulhando sob a superfície, minha verdadeira personalidade queria se revelar, mas o ambiente não era encorajador." Nossa infância termina quando começamos a viver de acordo com a imagem que os outros têm de quem somos.

Com bastante frequência somos limitados pelas expectativas, pela sensação de que temos um papel específico ou uma função a cumprir.

Em vez de nos limitarmos a um papel ou a uma versão de nós mesmos, é bom reconhecer que cada um guarda em si uma família inteira. Há dentro de nós o lado infantil, que quer tudo agora e rápido e fácil, que se caracteriza pelo espírito livre e costuma seguir os seus desejos, instintos e caprichos sem julgamento, medo ou vergonha. Há o lado adolescente, que gosta de flertar, arriscar e testar limites. Já o lado adulto racional é reflexivo, faz planos, estabelece metas e descobre como alcançá-las. E, por fim, há o lado do pai e da mãe: um do tipo carinhoso, outro do tipo assustador. Há aquele que é bondoso, amoroso e provedor, e aquele que chega com a voz alterada, já apontando o dedo e exigindo coisas. Nós precisamos de todos os membros de nossa família interior para sermos plenos. Quando somos livres, essa família funciona em equilíbrio, como um time, no qual todo mundo é bem-vindo, ninguém é ausente, impedido de se manifestar ou autoritário.

Minha liberdade interior me ajudou a sobreviver em Auschwitz, mas quando um adulto responsável não está a bordo, ele pode criar muitos problemas – como minha neta Rachel, filha linda da Audrey, pode atestar. Desde menina Rachel gostava de cozinhar e eu adorava quando ela pedia que eu lhe ensinasse algumas receitas húngaras. Decidi ensiná-la a preparar um dos meus pratos favoritos: frango com páprica. Dividir a cozinha com Rachel, junto com o cheiro de cebola refogada na manteiga (*muita manteiga*!) e a gordura de galinha, era como estar no céu. Mas logo notei o pai dela, Dale, limpando os respingos da gordura e recolhendo os temperos que caíam da minha colher. Mesmo a paciente e prática Rachel se incomodou com minha liberdade. "Pare!", disse ela, segurando meu braço antes que eu jogasse mais um punhado de alho e páprica na panela. "Se é para eu aprender a receita, preciso medir e anotar tudo que você está fazendo."

Eu não queria perder o ritmo. Adoro cozinhar por instinto, sem ficar medindo e planejando. Mas isso não dava a Rachel a orientação de que ela precisava. Para transmitir de maneira eficaz minha capacidade e habilidade, eu não podia confiar apenas no meu espírito livre. Precisava acionar o meu lado adulto racional e o meu lado mãe acolhedora para completar o time.

Agora Rachel faz um frango com páprica e um goulash da melhor qualidade. Outro dia fui preparar um rocambole de amêndoas e tive que ligar para ela para perguntar se acrescentava meia xícara ou uma xícara inteira de água na massa. Ela não precisou olhar a receita. "É meia xícara", respondeu.

Pode ser especialmente difícil equilibrar a família interior quando achamos que a sobrevivência depende de nossa capacidade de exercer um papel específico. Depois de décadas mantendo um esquema doentio com suas irmãs e os pais, Iris está tentando se livrar do limitado papel que ela se acostumou a encarnar em sua família.

Na Segunda Guerra Mundial, o pai de Iris foi dispensado do exército depois que seu tanque explodiu com homens a bordo. Ele se formou em enfermagem psiquiátrica, mas começou a beber demais e sofreu de depressão, paranoia e esquizofrenia. Na época em que Iris, a mais nova entre quatro irmãos, nasceu, o pai passava temporadas regulares no hospital. Ela se lembra dele como um homem gentil, sensível e brilhante. Iris adorava se sentar no colo dele depois do banho para que o pai desembaraçasse seu cabelo molhado. Ou fingia adormecer no sofá à noite para que ele a carregasse para a cama. Era boa a sensação de estar nos braços dele. A menina estava com 12 anos quando o pai sofreu um ataque cardíaco. Até a ambulância chegar, seu coração já estava parado havia doze minutos. A equipe médica conseguiu reanimá-lo, mas os danos cerebrais foram graves e ele passou a morar definitivamente no mesmo hospital em que um dia trabalhou. Iris tinha 18 anos quando o pai morreu.

Ainda bem jovem, Iris aprendeu a preencher a função de provedora em sua família. Numa de suas memórias mais antigas, seus pais se envolveram numa discussão séria. Ela sentiu a tensão e entrou no quarto, na esperança de desanuviar o ambiente. Seu pai a pegou no colo. "Você é minha favorita", disse ele. "Você não cria problemas."

Essa mensagem foi reforçada pela mãe e pelas irmãs de Iris. Ela ganhou os As em sua família por ser a pessoa responsável em que os outros podiam confiar. Sua mãe, uma mulher esforçada e nada autoritária, sempre sensível ao sofrimento, à vergonha ou ao constrangimento demonstrados pelos outros, permaneceu leal ao pai de Iris ao longo da pior fase, mas teve um colapso nervoso quando Iris era adolescente. Anos depois, já doente, ela confessou à filha: "Tenho a sensação de estar no meio de uma tempestade no mar e você é a minha âncora."

Boa parte do seu relacionamento com a mãe girava em torno da preocupação de ambas em relação às irmãs de Iris, que tiveram uma vida caótica e difícil, sofrendo, entre outros traumas, abuso sexual e violência doméstica, bem como problemas com drogas e depressão com tendências suicidas. Atualmente, as irmãs de Iris têm mais de 50 anos e ela continua a lidar com sentimentos complexos que derivam de seu papel de cuidadora da família.

– Vivo com uma enorme sensação de responsabilidade – contou ela. – Fui chamada de "sortuda" porque não sofri abuso. Quando era pequena, meu pai estava internado no hospital psiquiátrico, no auge de sua crise de loucura. Eu nunca quis tirar minha própria vida. Tenho um casamento feliz e três filhos maravilhosos, já adultos. Sinto culpa, às vezes, pelas coisas boas que me aconteceram. Fico triste por minhas irmãs. Considero-me egoísta por não fazer mais por elas. Às vezes fico exausta, talvez por tentar manter todos em segurança ou por viver como a garota que não causou problemas porque os problemas das outras pessoas eram muito maiores. Sonho em ganhar na loteria e comprar uma casa para cada uma de minhas irmãs, deixando-as financeiramente tranquilas pelo resto da vida. Pode ser que assim eu me liberte da culpa que carrego.

Iris é uma mulher bonita, com cabelos loiros encaracolados e lábios carnudos. Ela parecia apreensiva, os olhos azuis inquietos enquanto falava – a agitação que resulta de uma vida inteira tentando obter os três As.

Iris ficou presa na percepção que ela desenvolveu de seu papel e identidade: era aquela que deveria melhorar as coisas para os outros, aliviar a carga dos outros, não causar problemas ou confusão, ser capaz, confiável e responsável. Ela também se tornou prisioneira da culpa de sobrevivente por sua jornada ter sido mais fácil do que a da mãe e das irmãs. Como eu poderia orientar Iris a se libertar de uma vida inteira dedicada a ser uma "boa menina" que deseja ajudar os outros?

– Você não pode fazer nada por suas irmãs a não ser que comece a se amar – expliquei.

– Não sei como fazer isso – respondeu ela. – Este ano eu mal falei com minhas irmãs e isso me deixa aliviada, o que é terrível. Eu me preocupo com elas. Será que estão bem? Eu poderia fazer mais? Com certeza, *poderia*. Essa é a verdade. Ainda assim, quando faço mais, tudo fica negativo e exaustivo. Não sei como reformular nossa relação. Estou dividida porque, apesar de querer me reconectar com elas, para ser honesta, é muito mais fácil quando não estamos em contato. E isso faz com que eu me sinta ainda pior.

Gostaria que Iris se libertasse de duas sensações: culpa e preocupação.

– A culpa está no passado – disse a ela. – A preocupação está no futuro. A única coisa que você pode mudar é o aqui e agora, o presente. Não lhe cabe decidir o que fazer por suas irmãs. A única pessoa que você pode amar e aceitar é *você*. A questão não é quanto você pode amar suas irmãs, mas quanto pode amar a *si mesma*.

A culpa está no passado. A preocupação está no futuro.

Iris concordou, mas percebi hesitação em seus olhos, um sorriso contido, como se a ideia de amar a si mesma fosse desconfortável, ou, pelo menos, pouco familiar.

– Querida, não é saudável ficar pensando no que mais você pode fazer por suas irmãs. Não é saudável para você nem para *elas*. Você as deixa frustradas. Faz com que dependam de você e as impede de agir como adultas responsáveis.

Sugeri que talvez a necessidade não fosse das irmãs. Talvez *Iris é que tivesse essa necessidade.* Às vezes precisamos sentir que somos necessários. Achamos que não agimos bem se não estivermos salvando pessoas. Mas quando você necessita que precisem de você, pode acabar se casando com um alcoólatra. Ele é irresponsável, daí você assume a responsabilidade e reforça esse padrão.

Eu disse a Iris:

– Este é um bom momento para você se casar com *você* mesma. Senão vai piorar a situação em vez de melhorá-la.

Ela ficou em silêncio, o olhar desorientado.

– Isso é muito difícil, pois ainda me sinto culpada – afirmou.

Quando eram crianças, sua irmã mais velha estava sempre irritada e agressiva. Na época, ninguém sabia que ela havia sofrido abuso sexual. Iris chegava da escola e se trancava no quarto para evitar as instabilidades da irmã. Ela e as outras irmãs imploravam aos pais: "Vocês não podem se livrar dela? Não conseguem controlá-la?" Um dia, a mais velha teve uma briga feia com o pai e o empurrou contra uma porta de tela. Foi enviada para um internato feminino, e a partir daí sua vida tornou-se ainda mais sofrida.

– Posso ter sido a razão pela qual meus pais decidiram mandá-la embora – declarou Iris.

– Se você quer ter um relacionamento afetuoso com suas irmãs, ele não pode ser baseado na dependência. Tem que ser baseado na vontade de estarem juntas. Portanto, você pode escolher. Você quer ter culpa ou quer ter amor?

Escolher o amor é se tornar amável, boa e amorosa *para você.*

Pare de fazer uma releitura do passado. Pare de se desculpar por não estar lá para salvar todo mundo o tempo todo. Isso significa dizer "Fiz o melhor que pude".

– Sinto que parte da minha jornada de vida tem a ver com encontrar uma solução para o que aconteceu comigo e com minhas irmãs – disse Iris. – Como única pessoa da família que não tinha problemas mais sérios, só eu podia apaziguar os conflitos naquela época. Agora eu me sinto desleal quando não estou ajudando.

Uma das primeiras perguntas que faço a meus pacientes é: "Quando sua infância acabou?" Ou seja, quando você começou a proteger ou cuidar de outra pessoa? Quando você parou de ser você mesmo e começou a representar um papel?

Eu disse a Iris:

– Você pode ter amadurecido muito rápido. Virou uma miniadulta porque passou a tomar conta das outras pessoas, assumiu responsabilidades e se sentiu culpada porque, independentemente do que fizesse, nada era suficiente.

Ela concordou com os olhos cheios de lágrimas.

– Mas agora você pode decidir: o que é suficiente?

É difícil abrir mão de nossa costumeira maneira de obter os três As e descobrir uma nova forma de cultivar o amor e a ligação. Uma forma que funcione na interdependência, não na dependência, e com amor, não por necessidade.

Quando tento ajudar um paciente a identificar o seu padrão inicial, em geral pergunto: "Você faz alguma coisa em excesso?" Às vezes abusamos de substâncias e comportamentos para tratar nossas feridas: comida, açúcar, álcool, compras, jogos, sexo. Podemos até fazer coisas saudáveis em excesso. Podemos nos viciar em trabalho, em exercícios ou em dietas. Mas quando estamos com fome de afeto, de atenção e de aprovação pelas coisas que não tivemos quando jovens, nada nunca será suficiente para atender a essa necessidade.

Você está no lugar errado para preencher o vazio. É como ir à loja de ferragens comprar uma banana. O que você procura não está lá. Ainda assim, continuamos indo à loja errada.

Às vezes nos viciamos em precisar. Outras vezes nos viciamos em sentir que precisam de nós.

Lucia é enfermeira e acha que está em seu código genético cuidar das outras pessoas. Só depois de passar décadas casada com um homem exigente, de assumir a responsabilidade pela criação dos filhos, incluindo uma filha com deficiência, e de ouvir sempre "Faça isso! Faça aquilo!", é que começou a se perguntar: "E eu? Quem sou eu nesta situação?"

É bom ser egoísta: praticar o amor-próprio e o autocuidado.

Agora que está aprendendo a ser mais assertiva, Lucia parou de ignorar suas preferências e desejos, o que até provoca uma reação agressiva nas outras pessoas. A primeira vez que estabeleceu um limite para o marido, recusando-se a se levantar do sofá a fim de lhe preparar um lanche, ele gritou: "Estou mandando!"

Lucia respirou fundo e retrucou: "Não recebo ordens. Se você falar assim comigo de novo, vou sair da sala."

Ela aprendeu a reconhecer que a sensação de aperto no estômago quando diz sim a uma solicitação é o sinal para parar e perguntar a si mesma: "É isso que eu quero fazer? Será que ficarei ressentida se fizer isso?"

É bom ser *egoísta*: praticar o amor-próprio e o autocuidado.

Quando meus netos Lindsey e Jordan eram pequenos, Marianne e Rob combinaram de dar um ao outro noites de folga do cenário familiar. Ambos concordaram em ficar em casa com as crianças à noite para que o outro saísse. Certa vez, Rob queria ir à palestra de um economista famoso, que vinha de Londres. Mas o evento seria numa noite livre de Marianne, que já tinha comprado ingressos para ir ao teatro com uma amiga. Quando Rob contou que não estava conseguindo encontrar uma babá, Marianne podia ter remarcado com a amiga e entrado em contato com o teatro para tentar trocar seus ingressos para outra noite. Sempre é possível optar pela conciliação, pela flexibilidade. O problema é que muita gente corre para resolver a situação por puro hábito.

Assumimos responsabilidade demais pelos problemas dos outros, treinando-os para confiarem em nós em vez de neles mesmos e, assim, pavimentamos nosso caminho para o ressentimento. Marianne beijou Rob no rosto e disse: "Nossa, querido, parece que você tem um dilema. Espero que consiga achar uma solução." Ele acabou levando as crianças à palestra e elas ficaram brincando de esconde-esconde embaixo das cadeiras durante o evento.

O amor é uma palavra de quatro letras
que significa T-E-M-P-O.

A vida algumas vezes exige que a gente siga o fluxo; há situações, porém, em que a coisa certa é priorizar as necessidades dos outros, modificar nossos planos. E, obviamente, queremos fazer tudo o que pudermos para apoiar nossos entes queridos, ser sensível às necessidades e desejos dos outros, estar engajado no trabalho em equipe e na interdependência. Mas a generosidade não é generosa se nossa doação, à custa de nós mesmos, nos torna mártires ou alimenta nosso ressentimento. Amar significa ter amor-próprio, significa que somos generosos e compreensivos com os outros – *e* com nós mesmos.

Digo com frequência que o amor é uma palavra de quatro letras que significa T-E-M-P-O. Tempo. Apesar de nossos recursos internos serem ilimitados, nosso tempo e energia têm limites. Eles se esgotam. Se você trabalha ou estuda; se você tem filhos, relacionamentos, amigos; se você é voluntário, faz exercícios ou participa de um clube de livro, grupo de apoio ou igreja; se você cuida de algum parente mais velho ou de alguém com necessidades médicas ou especiais – como estruturar seu tempo de forma a não negligenciar a si mesmo? Quando descansa e se reabastece? Como cria um equilíbrio entre trabalho, amor e diversão?

Às vezes a maneira mais difícil de nos apoiarmos é pedir ajuda. Faz alguns anos que eu namoro Gene, um homem gentil e cavalheiro, meu magnífico parceiro de dança. Quando ele precisou ser internado por algumas semanas no hospital, eu o visitei todos os dias e ele se alegrou por me deixar mimá-lo um pouco – segurar sua mão, dar as refeições na boca. É maravilhoso quando alguém aceita sua doação. Eu estava a seu lado uma tarde e percebi que ele tremia. Ele admitiu que sentia frio, mas não queria parecer exigente. Portanto, decidiu não pedir um cobertor mais grosso. Ao tentar não ser um fardo para ninguém, ele foi autonegligente.

Eu costumava fazer isso também. No início de nossa vida como imigrantes, Béla e eu morávamos com Marianne numa pequena edícula para empregados nos fundos de uma casa em Park Heights, em Baltimore. Tínhamos chegado ao país sem um tostão, a ponto de precisar pedir emprestado dez dólares para desembarcar do navio. Ou seja, lutávamos para alimentar nossa família. Em tempos difíceis, eu considerava ponto de honra servir primeiro os pratos de Béla e Marianne e me servia apenas se houvesse comida suficiente para todos. É verdade que generosidade e compaixão devem ser estimuladas, mas a abnegação não é útil para ninguém – deixa todos carentes.

Ser autoconfiante não significa de forma alguma recusar o cuidado e o amor dos outros.

Certa vez, Audrey estava em casa para uma visita na época em que estudava na Universidade do Texas, em Austin, um centro de política progressista e ativismo. Ao abrir a porta do meu quarto em uma manhã de sábado, ela ficou horrorizada ao me ver ainda na cama, vestindo uma camisola de grife, e Béla me dando pedaços de mamão papaia na boca.

"Mãe!", ela gritou, com um tom de desgosto. Aquela imagem fútil e dependente era repugnante aos seus olhos, pois ofendia sua sensibilidade sobre o que significa ser uma mulher forte.

O que ela não viu foi a escolha que eu tinha feito de respeitar e aceitar o prazer do meu marido de me mimar. Ele esperava ansiosamente os sábados, quando acordava cedo e cruzava a fronteira para ir ao mercado em Juarez comprar os mamões papaias que eu adorava. Isso dava prazer a ele. Mas eu também achava prazeroso compartilhar esse ritual sensorial, receber o que ele queria me oferecer.

• • •

Quando você se sente livre, assume a responsabilidade de ser quem realmente é. Aprende a reconhecer os mecanismos de superação ou os padrões de comportamento que adotou no passado para atender as suas necessidades. Você se reconecta com partes suas de que precisou abrir mão e resgata a pessoa que não lhe permitiram ser. E se livra do hábito de desistir de si mesmo.

Lembre-se: você tem algo que ninguém mais terá. Você tem você. Para sempre.

É por isso que eu falo para mim mesma o tempo todo: "Edie, você é especial. Você é linda. Que você possa ser cada vez mais Edie todos os dias."

Não tenho mais o hábito de negar o que sinto em termos emocionais ou físicos. Tenho orgulho de ser uma mulher de alta manutenção. Minha rotina de bem-estar inclui acupuntura e massagem. Faço tratamentos de beleza regulares de que não preciso, mas que me deixam feliz. Faço limpeza de pele. Pinto o cabelo, não com uma cor apenas, mas com três cores, da mais escura à mais clara. Vou ao balcão de maquiagem das lojas de departamento e experimento novas maneiras de maquiar os olhos. Se eu não tivesse aprendido a me respeitar, nenhuma delicadeza externa poderia mudar a maneira como eu me sinto a respeito de mim mesma. Agora que me tenho em alta conta, agora que me amo e sei que cuidar de mim por dentro pode incluir cuidar de mim por fora, me presenteio com coisas bacanas sem me sentir culpada e deixo que minha aparência seja uma forma de autoexpressão. Aprendi a aceitar um elogio. Quando alguém diz "Gosto do seu lenço", respondo "Obrigada, também gosto dele".

Livre-se do hábito de desistir de si mesmo.

Nunca me esquecerei do dia em que levei Marianne, ainda adolescente, para comprar roupas. Pedi que experimentasse uma peça que separei e ela disse: "Mãe, não é a minha cara." O comentário dela me assustou. Fiquei em dúvida se eu a tinha criado para ser exigente ou mesmo ingrata. Mas então entendi a dádiva que é ter filhos que se conhecem bem e que sabem o que os representa ou não.

Descubra o seu *eu* e continue preenchendo-o com mais de você. Você não precisa se esforçar para ser amado. Basta ser *você*. Então seja mais você a cada dia.

ESTRATÉGIAS PARA SE LIBERTAR DA AUTONEGLIGÊNCIA

- **Nós nos tornamos melhores naquilo que praticamos.** Reserve pelo menos cinco minutos todos os dias para desfrutar sensações prazerosas: o primeiro gole de café pela manhã, a sensação do sol quente na pele ou um abraço de alguém que você ama, o som do riso ou da chuva no telhado, o cheiro de pão recém-assado. Reserve tempo para perceber e experimentar a alegria.

- **Trabalho, amor, diversão.** Faça um gráfico mostrando a hora em que acorda cada dia da semana. Marque o tempo que você passa todos os dias trabalhando, amando e se divertindo. (Algumas atividades podem se encaixar em mais de uma categoria; se acontecer, marque todas as categorias que se aplicam.) Depois, adicione o número total de horas que você passa trabalhando, amando ou se divertindo numa semana normal. As três categorias estão em equilíbrio? Como você poderia estruturar seus dias para conseguir fazer mais do que estiver ocupando menos desse seu tempo?

- **Demonstre amor por você mesmo.** Reflita sobre um momento na última semana em que alguém solicitou algo ou pediu um favor. Como você respondeu? A resposta foi por conta do hábito? Da necessidade? Do desejo? Como sua resposta foi sentida em seu corpo? Sua resposta foi boa para você? Agora reflita sobre um momento na última semana em que você pediu, ou quis pedir, ajuda a alguém. O que você disse? Como foi? Sua resposta foi boa para você? O que você pode fazer hoje para mostrar amor e cuidado por si mesmo?

CAPÍTULO 4

SENTADO EM DUAS CADEIRAS AO MESMO TEMPO

A prisão dos segredos

Na Hungria temos uma expressão: *Quem quer se sentar em duas cadeiras, acaba no chão.*

Se você vive uma vida dupla, a conta vai chegar.

Quando você é livre, pode viver de maneira autêntica e parar de se dividir entre as duas cadeiras – seu eu ideal e seu verdadeiro eu – e se tornar coerente. Você aprende a se sentar de maneira plena na cadeira de sua própria realização.

Robin tentava se equilibrar no espaço entre as duas cadeiras quando veio se consultar comigo, pois seu casamento estava à beira do colapso. Ela estava cada vez mais cansada de tentar atender às exigências do marido. Não havia mais paixão no casamento, que se tornara uma relação vazia. Robin sentia que precisava de uma máscara de oxigênio para chegar ao fim do dia. Em busca de alívio, ela começou a ter um caso.

A traição é um jogo perigoso. Nada é mais excitante do que um novo amante. Quando se está em uma cama nova, ninguém fala em quem vai tirar o lixo, de quem é a vez de levar as crianças para o treino de futebol.

Tudo é prazeroso, sem responsabilidade. Além de ser temporário. Por um tempo, logo após o início do caso, Robin se sentiu viva, alegre, mais otimista e forte, capaz de tolerar a situação em casa porque sua fome de afeição e intimidade estava sendo atendida em outro lugar. Mas então seu amante lhe deu um ultimato. Ela tinha que escolher: o marido ou ele.

Robin marcou o primeiro horário comigo porque estava paralisada, incapaz de se decidir. Na primeira consulta, fez vários rodeios, detalhando os prós e contras de cada opção. Embora o divórcio pudesse impedir seu amante de deixá-la, seria devastador para seus dois filhos. Mas, se continuasse casada, ela teria que abrir mão da pessoa que a fazia se sentir amada e valorizada. Era a felicidade dos seus filhos ou sua própria realização.

Mas a decisão que Robin precisava tomar não tinha a ver com qual homem ela queria ficar. As mesmas atitudes em relação ao marido – afastamento, disfarces e segredos – seriam repetidas com o amante ou com qualquer outro relacionamento romântico até que ela decidisse mudar. A liberdade dela não era escolher o homem certo. Era encontrar uma maneira de expressar seus desejos, esperanças e medos em qualquer relacionamento.

Infelizmente, esse é um problema comum. Mesmo um casamento iniciado com paixão e cumplicidade pode virar uma cela. Acontece com o passar dos anos. Muitas vezes fica difícil perceber quando e como a cela é construída. Existem os conflitos naturais, o estresse por causa de dinheiro, trabalho, filhos, família ou doença. Como o casal não tem tempo ou uma estratégia para resolver esses incômodos, a preocupação, a dor e a raiva se acumulam. Depois de um tempo, é ainda mais difícil expressar esses sentimentos porque eles provocam tensão e discussão, e, portanto, é preferível evitá-los. Antes que se dê conta, o casal está vivendo vidas separadas. A porta está aberta para outra pessoa entrar e tentar preencher o que foi perdido.

A honestidade começa quando aprendemos
a dizer a verdade para nós mesmos.

Ninguém tem culpa quando um relacionamento está tenso. As duas pessoas estão fazendo coisas que mantêm a distância e as disputas. O marido de Robin era um perfeccionista. Ele a criticava, julgava e era difícil de agradar. No início, ela teve dificuldade em reconhecer que também agia de maneira a prejudicar o relacionamento, como se afastar, se retrair, se ausentar e não demonstrar interesse. Além disso, ela mantinha sua infelicidade em segredo. O caso era um segredo secundário. O segredo principal era tudo o que ela tinha começado a esconder do marido, seus altos e baixos, suas tristezas e prazeres, seus desejos e melancolias.

A honestidade começa quando aprendemos a dizer a verdade para nós mesmos.

Eu disse a Robin que continuaria a atendê-la somente se ela deixasse o caso extraconjugal de lado enquanto se esforçava para manter uma relação mais honesta consigo mesma.

Passei dois exercícios para ela fazer. O primeiro eu chamo de Sinais Vitais. É um modo rápido de autoavaliação, de conscientização do clima emocional interior e do clima emocional que você mostra ao mundo. Estamos sempre nos comunicando, mesmo quando não dizemos uma palavra. O único momento em que não nos comunicamos é quando estamos em coma. O exercício consiste em fazer um esforço consciente para verificar o seu corpo várias vezes por dia e se perguntar: “Será que me sinto tolerante e caloroso ou distante e inflexível?”

Robin não gostou de descobrir o quanto era inflexível, rígida, fechada. Ao longo do tempo, o ato de avaliar sua temperatura emocional a ajudou a ficar mais calorosa. É nesse ponto que eu introduzo o segundo exercício, Interrupção de Padrão – uma maneira de substituir conscientemente uma resposta habitual por outra coisa. Quando Robin sentia que queria se afastar ou rejeitar o marido, ela deveria fazer um esforço consciente para não se afastar. Ela suavizou o olhar e passou a enxergar o marido de forma mais amorosa, algo que não fazia há muito tempo. Uma noite, à mesa do jantar, ela segurou a mão dele com carinho.

Foi um pequeno passo na direção da intimidade. Eles ainda tinham muita coisa a recuperar se quisessem reconstruir seu relacionamento. Mas eles haviam começado.

• • •

A cura não é possível quando escondemos ou rejeitamos partes de nós mesmos. As coisas que silenciamos ou encobrimos são como reféns presos no porão tentando desesperadamente chamar nossa atenção.

Sei disso porque tentei esconder o meu passado durante anos, esconder o que tinha acontecido comigo, esconder minha dor e meu ódio. Quando Béla e eu fugimos da Europa comunista após a guerra e viemos para a América com Marianne, eu queria ser uma pessoa normal. Não queria ser a pessoa destruída que eu de fato era. Eu era uma mãe, mas também era uma sobrevivente do Holocausto. Trabalhei numa confecção cortando linhas soltas das bainhas de roupas de meninos, recebendo poucos centavos por cada pacote de doze itens, amedrontada demais para falar qualquer coisa em inglês e ouvirem o meu sotaque. Eu queria apenas me integrar, ser aceita. Não queria que as pessoas sentissem pena de mim. Não queria mostrar as minhas cicatrizes.

Só algumas décadas mais tarde, quando estava terminando minha formação como psicóloga clínica, é que entendi o preço de levar uma vida dupla. Eu estava tentando curar os outros sem curar a mim mesma. Era uma impostora. Por fora, era uma psicóloga, mas por dentro não passava de uma adolescente de 16 anos aterrorizada, trêmula, secretamente em negação, perfeccionista e tentando sempre se superar.

Até conseguir enfrentar a verdade, fui prisioneira do segredo que eu escondia.

Meu segredo também aprisionou meus filhos de formas que ainda estou tentando entender. As memórias de infância que Marianne, Audrey e John compartilham, o medo e a tensão que sentiam subliminarmente, sem saber do que se tratava, são semelhantes aos que leitores de todo o mundo, filhos de sobreviventes do Holocausto, me relataram em cartas.

Ruth, cujos pais eram sobreviventes húngaros, me falou sobre o impacto que o silêncio de seus pais teve em seu desenvolvimento. Por um lado, ela teve uma infância maravilhosa. Seu pai e sua mãe eram alegres e pareciam aliviados por terem imigrado para a Austrália, felizes por poder oferecer aos filhos uma boa educação, pagando aulas de balé e piano, criando-os num ambiente de paz e comemorando suas conquistas e amizades. "Tivemos sorte", eles costumavam dizer. O trauma não era uma marca visível.

Mas havia uma falta de conexão entre a experiência interna e a externa de Ruth. A positividade de seus pais sobre o presente contrastava com seu silêncio sobre o passado e isso a deixava ansiosa. Um mau pressentimento se insinuava em meio a várias experiências, por mais prazerosas ou rotineiras que fossem. Ao assimilar o medo e o trauma não verbalizado por seus pais, ela também desenvolveu a impressão de que algo estava errado, de que algo terrível estava prestes a acontecer. Ela se tornou mãe e uma psiquiatra de sucesso, mas independentemente de suas realizações, Ruth nutria uma sensação perene de medo e se perguntava: "Por que me sinto assim?" Nem mesmo sua formação profissional em psiquiatria lhe forneceu a lente certa para entender.

Quando completou 19 anos, o filho mais novo de Ruth pediu que ela o levasse, junto com o irmão, à Hungria. Ele queria saber mais sobre seus falecidos avós. Com a ascensão do extremismo de direita ao redor do mundo – e com a compreensão de que aqueles que não conhecem a história estão condenados a repeti-la –, ele se sentiu especialmente interessado em conhecer mais sobre o passado. Mas Ruth se recusou a ir. Ela havia estado na Hungria quando jovem, no auge do comunismo, e não fora uma experiência agradável. Ela não queria voltar de jeito nenhum.

Um amigo, então, lhe recomendou um livro – *A bailarina de Auschwitz*. A leitura renovou sua coragem e despertou uma forte necessidade de enfrentar o passado de seus pais. Ela concordou com a viagem.

Recuperar o passado de seus pais ao lado dos filhos foi uma experiência transformadora e terapêutica muito intensa. No gueto de Budapeste, eles visitaram uma exposição numa sinagoga. Pela primeira vez Ruth viu fotos que mostraram em detalhes o que sua mãe tinha vivido. Foi doloroso e difícil aceitar a verdade, mas também foi útil e fortalecedor.

Ela compreendeu melhor o passado e isso mudou sua relação com os pais. Ela entendeu, enfim, a relutância em falar daquela época e reconheceu que eles estavam tentando se proteger e protegê-la. Mas esconder ou minimizar a verdade não protege nossos entes queridos. Proteger, nesse caso, significa se esforçar para curar o passado e não repassar inadvertidamente o trauma. Ao enfrentar seu legado familiar, Ruth conseguiu encontrar coerência interna, se reconciliar com a origem de sua ansiedade e começar a se livrar dela.

Só comecei a me tratar quando um colega na Universidade do Texas me deu um exemplar do livro de Viktor Frankl, *Em busca de sentido,* e eu criei coragem para lê-lo. Não me faltavam desculpas e motivos para resistir: "Não preciso ler o relato de outra pessoa sobre Auschwitz", dizia a mim mesma. Eu havia estado lá. Por que passar por todo aquele sofrimento de novo? Por que deixar os pesadelos voltarem? Por que revisitar o inferno? Mas, quando finalmente abri o livro no meio da noite, enquanto minha família dormia e a casa estava silenciosa, algo inesperado aconteceu: eu me senti vista. Frankl estivera onde eu estive. Parecia falar diretamente comigo. Nossas experiências não eram idênticas. Ele tinha 30 e poucos anos quando foi preso e já era um psiquiatra reconhecido. Eu era uma jovem ginasta e estudante de balé, sonhando com o namorado. Mas a forma como ele escreveu sobre nosso passado em comum mudou a minha vida. Vi uma nova possibilidade para mim mesma, uma forma de abrir mão dos segredos e parar de me esconder, de negar e de fugir do passado. As palavras dele e, mais tarde, sua orientação, me deram coragem e inspiração para enfrentar e expressar a minha verdade e, ao contar o meu segredo, recuperar o meu verdadeiro eu.

O acerto de contas e a libertação são impossíveis quando mantemos segredos e funcionamos sob o código de negação, ilusão ou minimização.

Às vezes a necessidade de guardar um segredo é tácita ou inconsciente.

Às vezes os outros compram nosso silêncio com ameaças ou força. De qualquer maneira, segredos são prejudiciais porque criam e mantêm um clima de vergonha, e a vergonha é a consequência de qualquer vício. A liberdade é resultado de enfrentar e dizer a verdade e, conforme vou abordar no próximo capítulo, isso só é possível quando criamos um clima de amor e aceitação dentro de nós.

ESTRATÉGIAS PARA SE LIBERTAR DOS SEGREDOS

- **Quem quer se sentar em duas cadeiras, acaba no chão.** Coloque duas cadeiras lado a lado. Sente-se numa delas sem cruzar as pernas. Perceba como seus pés encostam no chão. Sinta o peso de seus ossos na cadeira. Sinta a coluna se alongar desde a pélvis e a cabeça se afastar do pescoço. Relaxe os ombros e afaste-os das orelhas. Respire fundo algumas vezes, respirações restauradoras, alongando com a inspiração, relaxando com a expiração. Agora, sente-se com uma nádega numa cadeira, a outra na cadeira ao lado. Verifique seus pés, ísquios, coluna, pescoço, cabeça e ombros. Como ficam seu corpo e sua respiração quando você se senta em duas cadeiras? Por fim, volte a se sentar numa única cadeira. Apoie os pés no chão e sinta os ísquios em contato com o assento. Alongue a coluna e o pescoço. Você voltou para casa. Siga o ritmo de sua respiração enquanto se realinha e entra em equilíbrio.

- **A honestidade começa quando aprendemos a dizer a verdade para nós mesmos.** Faça o exercício Sinais Vitais que Robin usou para salvar seu casamento. Faça um esforço consciente para verificar várias vezes por dia o seu corpo e a sua temperatura emocional. Pergunte-se: "Eu me sinto tolerante e calorosa ou distante e inflexível?"

- **Conte a verdade na presença segura de outras pessoas.** Grupos de apoio e programas de doze passos podem ser maravilhosos para compartilhar a sua verdade – e aprender com outras pessoas que estão fazendo o mesmo. Descubra uma reunião local ou on-line em que você estará na companhia de pessoas que podem se identificar e ter empatia com a sua experiência. Compareça a pelo menos três reuniões antes de decidir se é ou não é para você.

CAPÍTULO 5

NINGUÉM REJEITA VOCÊ A NÃO SER VOCÊ MESMO

A prisão da culpa e da vergonha

Demorei décadas para me perdoar por ter sobrevivido.

Eu me formei na faculdade em 1969. Era uma imigrante de 42 anos, mãe de três filhos. Aprender inglês e voltar a estudar exigiu muita coragem e dinheiro, mas me formei entre as primeiras da turma.

No entanto, não fui à cerimônia de formatura. A vergonha me impediu.

Como muitos sobreviventes, enfrentei uma culpa devastadora no período do pós-guerra. Passados 24 anos desde que eu e minha irmã Magda havíamos sido libertadas, ainda não conseguia entender por que sobrevivi enquanto meus pais, meus avós e seis milhões de outras pessoas morreram. Mesmo um momento de festa e conquista perdia a graça pela certeza de que eu era alguém sem valor, não merecedora de felicidade, culpada por todo o mal que acontecia. Era só uma questão de tempo antes que todos descobrissem quanto eu estava fragmentada.

A culpa se revela quando você se recrimina, quando acredita ser responsável por algo ruim. É importante separar remorso e culpa. Remorso é a resposta adequada a um engano ou erro que cometemos. Está mais relacionado à tristeza. Significa aceitar que o passado não tem volta, não pode ser desfeito, e se permitir ficar triste com isso. Eu posso sentir remorso *e* reconhecer que tudo o que vivi, todas as escolhas que fiz, me trouxeram até aqui. O remorso está no presente e pode coexistir com o perdão e a liberdade.

Mas a culpa mantém a pessoa estagnada. Ela nasce da vergonha, quando você "não se acha digno" ou adequado, independentemente do que faça. A culpa e a vergonha podem ser muito incapacitantes, porém não servem para avaliar quem realmente somos. Na verdade, são um padrão de pensamento que escolhemos e no qual ficamos presos.

Você sempre pode escolher o que fazer com as informações que a vida lhe oferece. Certa vez, enquanto eu fazia uma palestra numa conferência, um homem com um ar respeitável de repente se levantou e saiu. Quase congelei no palco, sob o impacto de uma avalanche de autocrítica negativa: "Não tenho competência, não mereço ter sido convidada para me apresentar nesta conferência. Está acima da minha capacidade." Alguns minutos depois, a porta do auditório se abriu, o tal homem voltou e sentou-se. Ele provavelmente havia saído para beber água ou ir ao banheiro, mas naquele momento eu já tinha posto minha cabeça debaixo da lâmina da guilhotina.

Ninguém nasce envergonhado. No entanto, para muita gente, a mensagem da vergonha chega cedo. Lindsey, minha neta mais velha, por exemplo, foi colocada em uma turma de crianças "talentosas e superdotadas" (a mera noção desse rótulo me frustra, afinal, *todas* as crianças são talentosas e superdotadas, diamantes únicos!) no ensino fundamental. Como às vezes tinha dificuldade para acompanhar o ritmo, a professora começou a chamá-la de "tartaruguinha". Minha doce Lindsey levou a sério as palavras da professora. Ela se convenceu de que não tinha capacidade para ficar naquela turma, que não se encaixava naquele grupo, que não merecia estar lá. Tinha decidido mudar de turma, mas desistiu depois que conversei com ela sobre a importância de não deixar que a professora a definisse. Anos mais tarde, deu a um artigo para a faculdade o título "Quando a tartaruga vira lebre". Ela se formou em Princeton entre as melhores da turma.

As mensagens da vergonha começaram a chegar cedo para mim também, lá pelos 3 anos de idade, quando fiquei vesga. Antes de fazer a cirurgia corretiva, minhas irmãs cantavam canções cruéis: *você é tão feia e pequena que nunca vai arranjar um marido.* Até minha mãe dizia: "Ainda bem que você é inteligente, porque bonita não é." Essas mensagens foram complicadas de receber e difíceis de desaprender. Mas, em última análise, o problema não foi o que minha família me disse. O problema foi que eu acreditei.

E continuei acreditando.

Ser livre é aceitar o nosso eu imperfeito
e renunciar à necessidade de perfeição.

Quando Marianne, Rob e seus filhos viviam em La Jolla, eu costumava ir a casa deles toda segunda-feira preparar o jantar. Às vezes era comida americana, outras vezes, húngara. Esse jantar era o ponto alto da minha semana, pois significava alimentar meus netos, me sentir parte integrante da vida deles. Numa noite, eu estava na cozinha, com as panelas borbulhando e chiando no fogão, quando Marianne chegou do trabalho em seu lindo terno de seda azul. Imediatamente, ela começou a organizar as tampas no armário, combinando cada uma com a panela correta. Fiquei arrasada. Eu estava tentando ser útil, fazer minha família feliz. E lá estava ela me mostrando que eu fazia tudo errado, que não era boa o suficiente. Demorei um pouco para entender que a mensagem do meu fracasso não vinha de Marianne, mas de mim. Para contrabalançar minha convicção de que era problemática, eu buscava a perfeição, pois acreditava que assim conseguiria escapar da vergonha. Mas somos humanos, e humanos são falíveis. Ser livre é aceitar o nosso eu imperfeito e renunciar à necessidade de perfeição.

Em última instância, culpa e vergonha não vêm do exterior. Elas estão dentro de nós. Muitos dos meus pacientes procuram a terapia quando passam por um divórcio ou uma separação complicada. Estão sofrendo pela morte de um relacionamento e pelo desaparecimento de todas as esperanças, sonhos e expectativas que isso representava. Todavia, eles não costumam falar da dor, mas do sentimento de rejeição. "Ele me rejeitou", "Ela me rejeitou". Contudo, a rejeição é apenas uma palavra que inventamos para expressar o sentimento de não conseguir o que se quer. Quem disse que todos devem nos amar? Qual deus disse que devíamos ter o que queremos, quando queremos, como queremos e da maneira que queremos? Quem disse que ter tudo isso é garantia de alguma coisa? Ninguém rejeita você a não ser você mesmo.

Portanto, escolha o significado das mensagens que recebe. Quando faço uma palestra, sou aplaudida de pé e abraçada por centenas de pessoas, sendo que algumas me cumprimentam com lágrimas nos olhos e dizem "Você mudou a minha vida", enquanto outras dizem "Sua palestra foi muito boa, *mas*...". Posso escolher como responder a isso. Posso ficar insegura e pensar "Ai, meu Deus, onde foi que eu errei?" ou posso reconhecer que a crítica tem mais relação com a pessoa que a faz do que comigo – inclusive pode ter mais a ver com as expectativas dela em relação à palestra ou com o fato de que ela se sente forte e inteligente por encontrar algo para criticar. Ou, ainda, posso perguntar a mim mesma: "Será que existe algo útil aqui que pode ajudar meu crescimento e minha criatividade?" Não importa se pretendo ou não incorporar o feedback, posso simplesmente responder "Obrigada por sua opinião" e seguir em frente.

Se a ideia é viver sem humilhações, não podemos deixar que as opiniões dos outros nos definam.

E, acima de tudo, precisamos saber que nós escolhemos como falar com nós mesmos.

Passe o dia escutando sua autoconversa. Preste atenção no que você está prestando atenção, pois é isso que você vai reforçar. Essas ideias influenciarão a maneira como se sente, e isso é o que determina seu comportamento. Você não tem que viver de acordo com esses padrões e mensagens. Você não nasceu com vergonha. Seu verdadeiro eu já é lindo. Você nasceu com amor, alegria e paixão e tem todas as condições para reescrever seu roteiro interno e recuperar sua inocência. Você pode se tornar uma pessoa plena.

Michelle sempre ouve a seguinte frase de quem acaba de conhecer: "Eu daria qualquer coisa para ser você." Alta, magra, linda, bem-sucedida profissionalmente, com uma energia suave e amorosa que atrai os outros, ela era a imagem da perfeição, mas estava morta por dentro.

Presenciei essa dinâmica devastadora várias vezes em meu consultório: marido motivado, esposa ótima atriz, a "melhor anfitriã". Ela é impecável, gentil e generosa com os outros, mas não cuida bem de si mesma. Ele também é ator, muito amoroso e romântico quando está em público, porém na esfera privada se torna pai ou patrão, ordenando o que ela deve ou não fazer e como investir seu tempo e dinheiro. Para agradar, aplacando e se acomodando ao estilo dominador do marido, a mulher abdica de seu poder de adulta, deixando que ele tome todas as decisões. Mas depois ela se vinga, privando-se de comida porque é a única coisa sobre a qual tem controle. Ela se desliga e minimiza a sensação de impotência literalmente diminuindo de tamanho, ou seja, tornando seu corpo cada vez menor. Nos casos mais assustadores, mesmo quando ela quer voltar a comer, não consegue, pois o corpo passa a rejeitar os nutrientes.

Michelle tinha um distúrbio alimentar muito sério quando começou a terapia (não comigo, mas com um profissional magnífico da cidade dela). Não foi a anorexia que a levou a procurar ajuda, foram os problemas em seu casamento. Seu marido era indiferente e rude, o que a fazia se sentir como uma criança assustada diante de um pai zangado. Racionalmente ela sabia que era uma mulher de meia-idade forte e bem-sucedida, não uma criança impotente. Mas por dentro Michelle tinha pavor de enfrentá-lo. Quando as explosões de raiva dele começaram a preocupar e assustar seus filhos, ela percebeu que precisava de novos recursos para lidar com aquilo.

Aprender a se defender significava revelar sua enorme vergonha – todo o sofrimento que ela tentava reprimir ao passar fome. Quando recomeçou a comer – um processo que sempre recomendo fazer sob a supervisão médica ou num programa especializado ou ambulatorial –, todos os traumas e sentimentos que Michelle estava tentando manter a distância ressurgiram como uma onda. Abuso sexual na infância, mãe indiferente e distante emocionalmente, pais que a puniram com espancamentos, ou pior, que a tornaram invisível, sem lhe dirigir a palavra, como se ela não estivesse presente. Era devastador sentir o terror e o sofrimento e reviver o passado, o que Michelle só conseguia fazer em pequenas doses. Sempre que se permitia sentir, depois passava fome, daí se permitia sentir novamente e, na sequência, parava de comer mais uma vez.

A terapia trouxe à tona um medo insuportável de ser abandonada.

– Sempre me agarrei às pessoas que acho que se importam comigo, que prestam atenção em mim, me escutam, me aceitam como eu sou – disse Michelle. – Quando era criança, eu me sentia segura com uma professora. Já mais velha, isso aconteceu com um professor e depois com minha terapeuta. Existe sempre uma pessoa a quem estou ligada de forma ansiosa. Como uma adulta com mais de 40 anos, sei que estou segura e que gostam de mim. Ainda assim, às vezes me sinto como aquela menina de 8 anos, aterrorizada com a possibilidade de deixar de ser amada, de fazer algo que levará as pessoas a deixarem de gostar de mim.

– Lembre-se de que você é a única pessoa que você nunca perderá. Você pode procurar estímulos externos para se sentir valorizada ou aprender a se valorizar – expliquei.

Três anos após começar a terapia, Michelle fez grandes progressos. Alimenta-se bem, com alimentos e porções saudáveis, e parou de se exercitar em excesso. Já consegue dizer ao marido quando suas críticas a magoam, e tem aplicado técnicas de atenção plena para diminuir as reações físicas provocadas pelo medo. Michelle continua se esforçando para se libertar da vergonha que carrega, vergonha essa que se apresenta em três padrões de pensamento: *a culpa é minha, não mereço isso* e *podia ser pior.*

– Eu fico pensando por que não fiz as coisas de forma diferente. Sei que não tive culpa pelo que me aconteceu, mas uma parte de mim ainda tem dificuldade para acreditar nisso – disse ela em uma consulta.

Se você quer assumir o controle de seu pensamento, analise primeiro o que está fazendo e depois decida: isso me fortalece ou me esgota? Antes de decidir, pergunte-se: "Isso é gentil e carinhoso?"

A infância de Michelle acabou aos 8 anos, quando ela começou a sofrer abuso sexual e físico. Nessa idade, nossos lobos frontais estão começando a se desenvolver e o pensamento lógico começa a se formar. É quando começamos a querer entender as coisas, mas há certas coisas que não têm explicação. Muitas vezes criamos o sentimento de culpa para sentir que controlamos o que está completamente fora de nosso controle, o que não foi causado por nós nem foi nossa escolha.

– Pare de tentar encontrar uma razão para o abuso e comece a praticar a gentileza. Escolha um caminho e siga nele – afirmei.

– Ah, a gentileza – comentou ela, rindo baixinho. – Ser gentil com os outros sempre foi natural para mim, mas ser gentil comigo mesma é um desafio. Não sei por que acho que não mereço a bondade em minha vida. Não acredito realmente que eu mereça ser feliz.

– Você pode dizer "eu era assim, hoje não sou mais" e recuperar o controle sobre o seu pensamento. Uma palavra é tudo que você precisa: permissão. Diga: "Eu me permito ter prazer."

Ela começou a chorar.

– Querida, reconquiste sua força.

Mas Michelle minimizava os acontecimentos, dizendo para si mesma que tudo poderia ter sido muito pior. Ela se consolava ponderando que, embora fosse surrada com uma raquete, pelo menos os pais não apagavam o cigarro em seu braço.

Falei para Michelle parar de se cobrar pelo que já passou e tornar seu discurso mais gentil.

– Perceba a maneira como você fala consigo mesma – falei. – Reconheça que foi magoada e então escolha o que vai ignorar e o que vai reforçar. Você tem o hábito de minimizar sua dor e se diminuir. Mude de hábito. Liberte-se da vergonha e troque-a pela gentileza, e não se esqueça de rechear seu vocabulário com "sim, eu sou; sim, eu posso; sim, eu vou fazer".

Apaixone-se por você mesmo.
Amor-próprio não é narcisismo.

Certa vez, numa turnê de palestras no Meio-Oeste, fui convidada para jantar com uma família adorável. A comida estava deliciosa e a conversa muito agradável até eu elogiar a filha e levar um chute da mãe por baixo da mesa. Na hora da sobremesa e do café, a mãe sussurrou um pedido: "Por favor, não faça muitos elogios. Não quero que ela se torne uma adulta convencida."

Ao tentar manter a modéstia como regra para nós e para os nossos filhos, corremos o risco de nos tornar menos do que realmente somos.

O amor-próprio é a única base para a plenitude, saúde e alegria. Portanto, apaixone-se por você mesmo. Amor-próprio não é narcisismo. Quando começar a se curar, não descobrirá um *novo* eu, mas seu *verdadeiro* eu, que estava lá desde sempre, lindo e cheio de amor e felicidade.

ESTRATÉGIAS PARA SE LIBERTAR DA CULPA E DA VERGONHA

- **Você conseguiu.** Se houver algo de que você rotineiramente se ressente ou critica em si mesmo, imagine-se pequenininho, tão pequeno a ponto de engatinhar para dentro do seu corpo e dizer olá a cada um dos seus órgãos, a cada parte sua. Se você acha que tudo é culpa sua, então segure o seu coração com delicadeza, abrace essa parte magoada de você e troque por um eu amoroso. Diga a si mesmo: "Sim, eu errei, mas isso não me torna uma pessoa má. Meu ato não reflete a minha totalidade. Sou uma pessoa boa." Se o trauma ainda estiver vivo em seu corpo, aceite-o, pois você sobreviveu a ele. Você ainda está aqui. Você conseguiu. Minha respiração ficou muito limitada desde que fraturei a coluna na guerra, então gosto de dizer olá para a minha respiração, para os meus pulmões. Descubra seus pontos vulneráveis e derrame todo seu amor sobre eles.

- **Você fortalece aquilo em que presta atenção.** Passe um dia escutando sua autoconversa. Ela é cheia de "eu devia", "eu não devia" e "sim, mas..."? Será que você diz a si mesmo "é minha culpa" ou "não mereço isso" ou "podia ter sido pior..."? Substitua essas mensagens de culpa ou vergonha por exercícios diários de uma conversa gentil e amorosa. Assim que acordar de manhã, vá até o espelho e olhe para si mesmo com olhos gentis e repita: "Sou suficiente. Sou gentil. Sou uma pessoa forte." Depois, beije as costas de suas mãos. Sorria para si mesmo no espelho. Repita: "Amo você."

CAPÍTULO 6

O QUE NÃO ACONTECEU

A prisão do luto não resolvido

Um dia, atendi duas mulheres em sequência, uma atrás da outra. A primeira tinha uma filha hemofílica que estava morrendo no hospital. Ela chorou a sessão inteira, intensamente comovida pelo sofrimento da filha. A segunda paciente veio direto do clube. Também passou a hora inteira da consulta chorando. Estava chateada porque seu novo Cadillac tinha acabado de ser entregue e não tinha o tom de amarelo que ela queria.

Aparentemente, sua reação era desproporcional e as lágrimas não se justificavam. Mas é comum que decepções mínimas representem uma dor bem maior. A sensação de perda não tinha a ver com o Cadillac. O real motivo era sua relação com o marido e o filho, e a angústia e o ressentimento que sentia por seus desejos em relação à família não serem satisfeitos.

Essas duas mulheres me fizeram lembrar de um dos princípios fundamentais do meu trabalho: o que acontece quando uma experiência universal da vida não sai como queremos ou esperamos. A maioria das pessoas sofre porque tem algo que não quer, ou quer algo que não tem.

Toda terapia trabalha com o sofrimento. É um processo de confrontar uma vida em que se espera uma coisa e se consegue outra, ou uma vida que lhe traz o inesperado e imprevisto.

É isso que a maioria dos soldados enfrenta em combate. Atendi muitos veteranos de guerra ao longo da minha vida profissional e eles quase sempre dizem a mesma coisa: que haviam sido enviados para um lugar sem receber o devido preparo, e que lhes disseram uma coisa e encontraram outra.

A lamentação é o desejo de mudar o passado.

O sofrimento muitas vezes não tem relação com o que aconteceu, mas sim com o que *não* aconteceu. Quando Marianne foi a seu primeiro baile de formatura num lindo vestido de seda cor de laranja, Béla disse a ela: "Divirta-se, querida. Quando sua mãe tinha a sua idade, estava em Auschwitz e os pais dela estavam mortos." A raiva me deixou sem palavras. Meus filhos já sabiam que eu era uma sobrevivente, mas como ele se atrevia a sobrecarregar nossa filha com o meu passado? Como ele ousava arruinar a noite de Marianne com algo que nada tinha a ver com ela? Foi muito injusto. E completamente inapropriado.

Mas também fiquei muito chateada porque ele tinha razão. Eu não tive a chance de colocar um vestido de seda e sair para dançar. Hitler interrompeu a minha vida e a vida de milhões de outras pessoas.

Sou prisioneira e vítima quando minimizo ou nego meu sofrimento – e sou prisioneira e vítima quando continuo me lamentando. A lamentação é o desejo de mudar o passado. É o que sentimos quando não conseguimos admitir nossa impotência diante de algo que já aconteceu e que não podemos mudar.

Eu gostaria que minha mãe tivesse recebido uma orientação melhor quando sofreu uma perda súbita aos 9 anos. Ela acordou e descobriu que a mãe, que dormia ao seu lado, estava morta, o corpo já frio.

O enterro foi naquele mesmo dia. Ela não teve tempo para chorar pela mãe e, bem mais tarde, era nítida sua dificuldade em lidar com esse luto não resolvido. Minha mãe foi obrigada a assumir imediatamente a responsabilidade de cuidar dos irmãos mais novos e de cozinhar para a família. Assistiu a seu pai se afundar no álcool para aliviar o sofrimento e a solidão. Quando se casou e se tornou mãe, sua tristeza havia se consolidado. O choque e a angústia da perda precoce a tinham aprisionado. Ela pendurou um retrato da mãe na parede acima do piano e conversava com ela enquanto fazia o serviço de casa. Na trilha sonora da minha infância, ouço minha irmã Klara praticando violino e minha mãe pedindo ajuda e força à minha avó. Seu luto era como um quarto filho sempre precisando de atenção. É saudável passar por todas as fases do luto – tristeza, raiva, impotência –, mas minha mãe ficou presa nesse círculo vicioso.

Quando vivemos um luto não resolvido, é comum sentirmos uma raiva incontrolável.

Lorna tinha um irmão que bebia muito. Uma noite, ele saiu para caminhar, foi atropelado e morreu. Passado um ano, ela ainda sente dificuldade para aceitar que ele se foi. "Eu disse a ele várias vezes para não beber", ela repete. "Por que não me escutou? Era para ele me ajudar a cuidar da nossa mãe. Como pôde ser tão egoísta?" Lorna não tem como mudar diversos fatos: o alcoolismo do irmão, a insistência dele em beber apesar das intervenções da família, e de ele haver morrido por estar embriagado. Ela não pode mudar nada do que aconteceu e tem dificuldade em aceitar sua impotência.

Quando meus netos eram pequenos, um coleguinha deles foi atropelado quando andava de bicicleta uma tarde e morreu. Pediram que Marianne conversasse com a turma dos filhos para ajudá-los a processar todos os sentimentos complexos que vêm com a perda – a maneira como isso nos obriga a um acerto de contas com nossa própria mortalidade e com a fragilidade da vida. Ela se preparou para enfrentar a tristeza e o medo das crianças. No entanto, a reação que a impressionou não foi a angústia, mas a culpa. "Eu podia ter sido mais legal com ele", diziam. "Ele podia ter ido à minha casa em vez de sair para andar de bicicleta, mas eu nunca quis convidá-lo." Os alunos enumeraram todas as formas como eles poderiam ter evitado a morte do menino. Ao se considerarem responsáveis, eles buscavam assumir o controle da situação, mas a verdade é que enquanto continuassem a se culpar estariam evitando o sofrimento.

Nós não temos controle, mas gostaríamos de ter.

Viver o luto significa tanto se libertar da responsabilidade por todas as coisas que não lhe competem quanto aceitar escolhas que não podem ser desfeitas.

Marianne ajudou as crianças a identificar as escolhas que elas não podiam controlar: a decisão do menino de andar de bicicleta naquele dia, o caminho que ele escolheu, no que ele estava ou não prestando atenção quando saiu da calçada para a rua, o que tirou a atenção do motorista do carro quando entrou no cruzamento. E ela ajudou as crianças a lidarem com a sensação de remorso pelas próprias escolhas: as festinhas de aniversário e os convites para passar a noite que elas não haviam feito ao menino, os comentários debochados, as situações em que deram risada ou se mantiveram em silêncio quando ele era alvo de alguma gozação. Este é o trabalho possível no momento: *ficar triste* com o que aconteceu ou com o que não aconteceu, *admitir* o que fez ou deixou de fazer, e *escolher* a reação no momento presente. Estar mais atento ao impacto que seu comportamento pode causar, magoando ou hostilizando alguém, não vai trazer seu colega de turma de volta, mas é possível aproveitar a oportunidade para se tornar mais consciente e agir com mais bondade e compaixão.

É muito difícil estar onde estamos, aceitar o passado, o presente e seguir em frente. Ao longo de vinte anos, Sue marcava uma consulta comigo no dia do aniversário de morte do filho. O rapaz se suicidou aos 25 anos com a arma que a mãe guardava na mesinha de cabeceira. Ele está morto há quase tantos anos quanto o tempo que viveu. E Sue ainda sofre, presa ao implacável ciclo da culpa. *Por que eu tinha uma arma? Por que não guardei a arma de maneira segura? Por que permiti que ele a encontrasse? Por que não percebi a depressão e os problemas dele?* Ela não consegue se perdoar.

É claro que Sue gostaria que ele não tivesse morrido. Ela deseja apagar todos os fatores, grandes e pequenos, que podem ter contribuído para sua morte. Mas seu filho não se matou porque ela possuía uma arma. Ele não se matou por algo que ela fez ou deixou de fazer.

Ao manter a sensação de culpa, Sue não precisa admitir que o filho morreu. Enquanto puder se culpar, ela não precisa aceitar o que *ele* escolheu fazer. Se ele pudesse ver o sofrimento da mãe, provavelmente diria: "Mãe, eu ia me matar de qualquer maneira. Não quero que você morra comigo."

É natural continuar chorando e sofrendo por aqueles que perdemos, é saudável se permitir ficar triste e aceitar que a saudade nunca vai passar. Fui convidada a dar uma palestra a um grupo de apoio para pais de luto, no qual as pessoas compartilhavam lembranças e fotografias, choravam juntas e se ajudavam. Foi bonito ver essa maneira conectada e solidária de viver o luto.

Logo percebi como poderia orientá-los para que houvesse mais liberdade naquelas vivências de luto. Por exemplo, as reuniões eram iniciadas com todos formando um círculo para que cada um se apresentasse e falasse do filho que havia morrido. "Perdi minha filha para o suicídio", disse um deles. "Perdi meu filho quando ele tinha 2 anos", contou outro. Todos usaram o verbo "perder" para descrever a morte.

– A vida não é feita de perdas e ganhos – disse a eles.

Temos que comemorar que os espíritos de nossos entes queridos vieram até nós, algumas vezes por poucos dias, em outras por décadas, e precisamos aprender a deixá-los ir. Precisamos reconhecer a tristeza e a alegria que coexistem neste momento e que permeiam todas as nossas experiências.

Os pais costumam dizer: "Eu morreria por meu filho." Ouvi alguns pais do grupo de luto expressarem o desejo de trocar de lugar com seus falecidos filhos, de morrer para que os filhos pudessem viver. Depois da guerra eu me senti exatamente assim. Teria morrido feliz para trazer meus pais e avós de volta.

Mas agora eu sei que em vez de morrer por meus mortos, posso *viver* por eles.

E viver por meus filhos, netos e bisnetos, por todos os meus entes queridos que ainda estão por aqui.

Quando não conseguimos nos libertar da culpa nem aprendemos a conviver com o luto prejudicamos nossos entes queridos sem ajudar em nada aqueles que morreram. Temos que nos desapegar dos mortos, parar de desenterrá-los toda hora e viver da melhor forma possível para que eles possam descansar em paz.

Sofia está num momento crucial de seu luto.

Sua mãe era uma professora ativa e psicóloga reconhecida que terminou o mestrado aos 50 anos (como eu!) e se especializou na logoterapia criada por Viktor Frankl (como eu!), uma teoria e método de orientar os pacientes a encontrarem significado em suas vidas e experiências. Aos 70 anos, ela ainda trabalhava. Havia acabado de publicar seu primeiro livro quando começou a sentir dores nas costas. Era uma mulher muito saudável, tanto que Sofia não se lembra de a mãe ter sequer um resfriado na vida. De repente, ela passou a recusar comida e a evitar eventos familiares e sociais por causa da forte dor nas costas. Ela procurou um especialista que não encontrou nada errado. Depois foi a vários outros médicos na tentativa de descobrir a origem da dor. Por fim, um gastroenterologista pediu alguns exames que revelaram o diagnóstico: câncer de pâncreas, estágio quatro. Ela morreu um mês depois.

Sofia passou um ano de luto fechado, chorando o tempo todo. O tempo amorteceu o choque e a enorme tristeza, a dor já não era tão dura e avassaladora, mas ela continuava fragilizada, numa espécie de encruzilhada onde podia escolher curar-se ou permanecer presa. A palavra curar não significa superar a perda, mas sim que é possível estar ferida e plena, bem como feliz e realizada, apesar da perda.

– Ela morreu tão de repente – comentou Sofia. – Não tive tempo de me preparar, e tenho muitos arrependimentos.

– Você se sente culpada? Acha que poderia ter feito alguma coisa e não fez?

– Sim – respondeu ela. – Minha mãe era tão forte, nunca achei que ela estava morrendo. Eu a repreendi por não comer. Estava tentando ajudá-la, mas se eu soubesse que eram seus últimos dias, teria reagido de outra maneira.

Ela ficou fixada em duas palavras: e se. *E se eu soubesse que ela estava morrendo? E se eu soubesse que estava prestes a perdê-la?* Todavia, situações condicionais não nos fortalecem. Ao contrário, nos esgotam.

Eu disse a Sofia:

– Hoje você pode dizer "se eu soubesse o que sei agora, teria feito as coisas de forma diferente". E esse será o fim da culpa, porque você deve fazer isso por sua mãe. Simplesmente diga: "Eu era assim, agora começarei a cultivar as memórias que ninguém pode tirar." Você a teve por 34 anos maravilhosos. Nunca mais haverá uma mãe como ela. Nunca mais haverá outra terapeuta como ela. Portanto, valorize a pessoa que ela era e o tempo que vocês tiveram juntas. Não perca nem mais um instante se culpando porque a culpa não produz amor. Nunca.

A culpa nos impede de desfrutar nossas memórias. E de viver plenamente o agora.

– Quando você se sente culpada, não está aberta para ser amistosa e ter intimidade – expliquei a Sofia. – Isso faz você estragar coisas belas como a memória de secar e arrumar o cabelo de sua mãe no hospital, de ajudá-la a se sentir elegante e bonita como ela queria estar em seus momentos finais. Ou a dádiva de sua mãe ter ido embora rapidamente, sem sofrer por anos e anos, incapaz de controlar seu próprio corpo.

Às vezes podemos sentir que estamos traindo os mortos se rirmos ou nos divertirmos, como se isso significasse que os estamos abandonando.

– O seu lugar é ao lado do seu marido, dançando com ele – enfatizei – não sentada em casa chorando por sua mãe. Portanto, livre-se dessa voz punitiva que existe em você... não fale mais coisas como *devia*, *podia*, *e se*. Você não é livre quando se sente culpada. Se sua mãe estivesse aqui com você, o que ela lhe desejaria?

– Que minhas irmãs e eu sejamos felizes. Que tenhamos uma vida plena.

– E você pode dar a ela esse presente. Ter uma vida plena. Celebrar. Sua vida está à sua frente agora. Eu a vejo piscando para você, encorajando-a. Portanto, seja presente na vida de suas irmãs e de seu marido. Amem-se uns aos outros. Lembre-se de mim quando fizer 92 anos, em como sua vida começou quando sua querida mãe morreu e você tomou a decisão de ter uma vida plena e de não ser vítima das circunstâncias. Sua tarefa agora é presenteá-la com a sua liberdade.

O luto tem muitas camadas e nuances: amargura, medo, alívio, culpa de sobrevivente, questionamento existencial, insegurança, fragilidade. Nosso entendimento do mundo é interrompido e reorganizado. Discordo da expressão "o tempo cura todas as feridas". O tempo não cura todas as feridas. O que você faz com o tempo sim. Algumas vezes, as pessoas compensam a dor provocada pelo luto tentando manter tudo igual – empregos, rotinas e relacionamentos permanecem estáticos. Mas depois de uma grande perda, nada permanece igual. O luto pode ser um convite para revermos as prioridades e nos reconectarmos mais uma vez com a alegria e o propósito. O luto também nos faz assumir o compromisso de sermos o melhor possível e de aceitarmos que a vida está nos indicando uma nova direção.

O luto pode ser um convite para revermos as prioridades.

Quando o sofrimento bateu à sua porta – o que pode acontecer com você, comigo e com todo mundo –, Daniel não se contentou em viver de forma automática, fazendo sempre a mesma coisa. Ele estava pronto para mudar e reassumir o controle de sua vida.

Segundo ele, "algo difícil ou trágico pode acontecer e levar a pessoa a escolher se quer continuar da mesma forma ou mudar para melhor".

O relato da perda de Daniel começou como uma história de amor. Ele conheceu Tracy aos 18 anos. Indígenas canadenses, os dois cursavam as mesmas áreas de estudo na universidade: ciência ambiental e estudos indígenas. Imediatamente viraram bons amigos, conversando por horas, relaxados e felizes na companhia um do outro.

Agora Daniel se dá conta: "Havia muita coisa que não falávamos e que devíamos ter falado."

Daniel tinha 25 anos quando eles se casaram, 30 anos quando nasceu seu filho Joseph. Eles se mudaram para a província natal de Tracy e foi aí que os problemas começaram. Tracy progredira muito no lado acadêmico e profissional, tanto que havia concluído o mestrado e começado o doutorado, e já era uma reconhecida especialista ambiental e consultora disputada. Mas a volta às origens evidenciou todas as razões que a tinham feito partir: alcoolismo desenfreado e consumo de drogas, assim como violência e mortes. E, embora Daniel ainda não soubesse, ela estava novamente perto de se deparar com o abuso trágico que sofrera de sua própria família. Tracy entrou numa espiral destrutiva de bebida e agitação, e acabou se separando de Daniel. Joseph tinha apenas 2 anos.

O casal se esforçou ao máximo para criar o filho de uma maneira respeitosa, compartilhando a guarda e conseguindo não brigar na frente do menino. Mas a vida de Tracy foi ficando cada vez mais caótica. Ela teve a carteira de motorista suspensa – provavelmente, Daniel presume, por dirigir embriagada. Em várias ocasiões, ao deixar Joseph na casa da mãe, Daniel teve a impressão de que Tracy estava drogada. Ele a confrontou, falou de suas preocupações, e ela admitiu que vinha enfrentando problemas pessoais complicados, mas que tudo estava sob controle.

Certa vez, preocupado com o bem-estar de Tracy, Daniel deixou Joseph em casa com a babá e foi procurá-la. Ele a encontrou dormindo na casa de um parente, de ressaca. Quando acordou, Tracy parecia perturbada. Ele se sentou na cama ao lado dela, que aos soluços revelou que aos 12 anos fora estuprada por membros de sua própria família. Aos 18 anos, ela confrontou os pais, mas sua mãe permaneceu em silêncio enquanto seu pai a culpava pelo que tinha acontecido. Daniel ficou chocado. Ele sabia que Tracy tivera uma infância difícil, que ela e as irmãs apanhavam muito, mas não imaginava que havia violência sexual. Isso o ajudou a entender quanto ela estava sofrendo, mas levantou uma série de preocupações. Ele disse a Tracy: "De agora em diante eu não quero que Joseph conviva com pessoas que fazem isso com uma criança. Essa é a nova regra. Nenhum contato com seus pais até que isso seja exposto e esclarecido." Ela concordou, mas um mês depois entrou com o pedido de divórcio. Um ano mais tarde, Daniel descobriu que Tracy havia deixado Joseph com o avô. Ele entrou na justiça e ganhou a guarda total do filho.

Com a concordância de Tracy, Daniel se mudou para perto da família dele. Eles chegaram a planejar que ela se mudasse também a fim de ficar mais próxima de Joseph e distante do caos de violência e uso de drogas de sua casa. Nesse meio-tempo, Daniel levava com regularidade Joseph para visitá-la e às vezes os três viajavam juntos. Tracy parecia um fantasma dela mesma, com olheiras profundas, o corpo letárgico e ao mesmo tempo agitado. Quando Daniel demonstrava preocupação, ela ficava indiferente, com o rosto tenso, mas os olhos ausentes.

Então, um dia, ela desapareceu.

Ninguém sabe o dia exato do desaparecimento de Tracy. Algumas pessoas contaram que ela estava na companhia de um traficante. Joseph tinha 5 anos quando viu a mãe pela última vez.

"Foi um choque", Daniel relatou. "É inacreditável. Tracy era uma mulher competente, tanto que a comunidade pediu sua ajuda no campo ambiental. Ela sempre foi uma pessoa maravilhosa. Quando penso no que aconteceu, imagino que todas aquelas coisas estavam lá reprimidas, nunca enfrentadas, nunca resolvidas."

Daniel já estava sofrendo pela perda de sua melhor amiga e parceira de vida, pelo fim de seu casamento, pela perda da mãe de seu filho – mas agora a dor era absoluta e assustadora. Tracy desapareceu de repente e para sempre. É provável que ninguém jamais descubra o que aconteceu. Ela entrou para a lista de incontáveis mulheres indígenas assassinadas e desaparecidas nos Estados Unidos e no Canadá, países onde os índices de assassinatos de mulheres indígenas são até dez vezes maiores do que as médias de feminicídios nacionais.

Daniel tinha a sensação de estar num círculo vicioso, pois não conseguia parar de pensar no quanto tinha falhado com Tracy. Todas as coisas dolorosas que ele tinha dito ou feito, todas as oportunidades que perdera ao não entender quanto ela devia se sentir sozinha e deslocada no mundo. Ele não imaginava que o desaparecimento de Tracy fosse reavivar o seu próprio sofrimento por coisas antigas que nem percebia que ainda o envenenavam por dentro, como o fato de não se aceitar quando criança, o racismo massacrante que sofreu na escola, os anos que passou se odiando e pensando em se suicidar, a dificuldade em comunicar seus desejos e limites. Daniel aprendeu a ser durão, seguir em frente, se isolar, esconder os sentimentos, tudo em nome de continuar a vida. Era a mesma coisa agora. Pessoas bem-intencionadas agora lhe diziam para aguentar firme e agir como um homem, que Tracy estava em paz, que Deus sabia o que fazia.

"Mesmo que isso seja verdade, não ajuda nosso corpo a se livrar da dor e da perturbação", disse Daniel.

Durante três anos o sofrimento o derrubou e o manteve infeliz.

"Eu conseguia trabalhar, rir e fazer as coisas, mas estava no piloto automático na maior parte do tempo", contou. Se algo desencadeava uma crise, a sensação ruim durava dias ou semanas. O mais triste de tudo era que Daniel sabia que não tinha condições de ajudar Joseph a entender suas emoções.

A situação parecia não ter saída. Daniel aceitou o fato de que seria uma pessoa deprimida e infeliz pelo resto da vida. Mas havia Joseph.

O que ele estava disposto a aceitar para si mesmo não podia aceitar para seu filho. Seu amor por Joseph foi sua salvação, o incentivo que permitiu a mudança.

Para orientar melhor o filho, Daniel começou a ler sobre o luto. A leitura o levou a falar sobre o tema e ele passou a fazer terapia. Ao trabalhar a própria dor, encontrou uma nova vocação profissional. Graduou-se no curso de terapia do luto e vislumbrou a vida que almejava, acreditando e repetindo incansavelmente que ela aconteceria, mesmo que não soubesse como.

Hoje em dia Daniel trabalha no departamento de Serviços Sociais para a Criança e a Família, além de coordenar grupos de luto para meninos nas escolas públicas, aconselhando adolescentes e crianças problemáticas, muitas delas sob responsabilidade do Estado desde os 2 ou 3 anos. Daniel diz que parte do trabalho com o luto é manter-se em silêncio e apoiar quem sofre. Às vezes ele leva os meninos para uma caminhada, ou acendem uma fogueira ao ar livre, ou se sentam em silêncio no McDonald's.

"Minha profissão me obriga a rever o que vivi", explicou ele. "Ajudar os outros a desbravar a floresta que eu atravessei sempre me faz refletir, cuidar de mim mesmo, manter Tracy em meu coração e permanecer atento ao que sinto e onde estou."

O luto pode unir ou afastar as pessoas. Daniel é um belo exemplo de como a dor pode nos apontar um bom caminho.

A história dele nos relembra de que o luto não é algo que se vive só uma vez. O luto fará sempre parte de sua vida e de suas relações. À medida que Joseph crescer e amadurecer, Daniel terá que descobrir novamente como conversar com o filho a respeito da mãe. Sempre haverá perguntas sem resposta.

Existem coisas que não têm explicação. Nem adianta tentar.

São muitas as razões para algo ter (ou não) acontecido e para nos questionarmos sobre onde estamos e por que fazemos o que fazemos. O luto nos força a esclarecer o que compete a mim, a você e a Deus.

Quando uma garota em Auschwitz apontou para a fumaça subindo do crematório e falou: "Você pode começar a falar sobre sua mãe no passado, ela já está morta", minha irmã Magda me disse: "O espírito nunca morre." Ela está certa. Quando dou uma palestra numa escola, faço isso por amor a meus pais, para manter viva a memória deles e para aprender com o passado de modo que ele não se repita.

Eu converso com meus pais. Não da maneira desolada que minha mãe pedia ajuda à minha avó. Cultivo um lugar em meu coração onde seus espíritos ainda vivem. Eu os chamo para que saibam como minha vida é abundante e plena – para que vejam o que eles possibilitaram crescer e prosperar no mundo.

Herdei o gosto do meu pai para a moda e a alta-costura, então toda vez que me arrumo para sair, digo a ele: “Papa, olhe para mim! Você sempre disse que eu seria a garota mais bem-vestida da cidade.” Vestir-me bem e me sentir feliz e ousada é como um ritual de celebração a meu pai.

À minha mãe, ofereço minha gratidão. Por sua sabedoria e por ter me ensinado a encontrar meu poder interior. Agradeço até mesmo as vezes em que ela me disse que estava feliz por eu ser inteligente porque não era bonita. Obrigada, Mama, por fazer o melhor com o que você tinha. Obrigada pela força que você teve para cuidar do seu pai bêbado e devastado pelo luto, para alimentar e cuidar de sua família e da nossa. Obrigada por me inspirar a descobrir meus recursos internos. Amo você. Nunca a esquecerei.

O luto é difícil, mas também pode trazer coisas boas. Você pode revisitar o passado, pode até abraçá-lo. Você não está preso no passado. Você está aqui, agora. E está forte.

Você pode reconhecer o que foi e o que não foi. E pode se concentrar não no que perdeu, mas no que restou: a chance de viver cada momento como um presente, de aceitar o que *é*.

ESTRATÉGIAS PARA SE LIBERTAR DO LUTO NÃO RESOLVIDO

- **Deixe os mortos em paz.** O luto muda, mas não desaparece. Negar o luto não ajudará você a se curar dele. Também não é útil passar mais tempo com os mortos do que com os vivos. Se alguém que você ama morreu, reserve trinta minutos todos os dias para honrar essa pessoa e sua perda. Pegue uma chave imaginária, abra a porta do seu coração e liberte a sua dor. Chore, grite, escute uma música que remete a seu ente querido, veja fotos, leia cartas antigas. Expresse e vivencie sua dor. Quando os trinta minutos acabarem, guarde seu amor em segurança dentro do seu coração e volte a viver.

- **O espírito nunca morre.** É possível que o luto nos guie numa direção positiva, a uma vida com mais alegria, significado e propósito. Converse com o ente querido que morreu. Diga que está grato pelas memórias que você cultiva, as habilidades que aprendeu com ele, os talentos que desenvolveu porque ele tocou sua vida. Então, pergunte: "O que você deseja para mim?"

CAPÍTULO 7

NADA A PROVAR

A prisão da rigidez

Quando um casal me diz que nunca briga, respondo: "Então vocês também não vivem juntos."

O conflito é humano. Quando o evitamos, estamos, na realidade, nos aproximando da tirania e nos distanciando da paz. O conflito em si não é limitador. O que nos mantêm encurralados é o pensamento rígido que muitas vezes usamos para gerenciar o conflito.

As limitações do pensamento rígido podem ser difíceis de reconhecer porque muitas vezes estão cobertas de boas intenções. Muita gente me procura para fazer terapia porque deseja melhorar seus relacionamentos, encontrar um jeito de se comunicar melhor com os parceiros ou os filhos, ter mais paz e uma convivência mais harmoniosa. Quase sempre descubro que essas pessoas não estão fazendo terapia para aprender a gerenciar conflitos. Na verdade, elas querem minha ajuda para convencer os outros a concordar com suas opiniões. Quem chega com um plano, ou está tentando mudar alguém, não é uma pessoa livre. Somos livres quando aceitamos o poder de cada um de fazer as próprias escolhas.

Meus pacientes falam o tempo todo: "Quero que ele..." ou "Quero que ela..." Mas você não pode querer algo para outra pessoa. Você pode apenas descobrir o que é *certo para você*.

Essa é uma das técnicas mais importantes no gerenciamento de conflitos: parar de rejeitar a convicção do outro. Eu adoro um bom sanduíche de língua, mas tenho um amigo que diz: "Como você pode comer isso? Fico enjoado só de pensar." Portanto, quem tem razão? Ele tem a razão dele, eu tenho a minha. Você não tem que concordar. Não precisa desistir de sua convicção – e, por favor, nunca faça isso. Ser livre é abrir mão da necessidade de estar certo.

Quando entendi, décadas depois do fim da guerra, que para me curar eu precisava voltar a Auschwitz e enfrentar o passado, convidei minha irmã Magda para ir comigo. Afinal, uma manteve a outra viva quando éramos prisioneiras. Éramos a razão de viver uma da outra. Eu queria voltar com ela onde nossos pais haviam sido assassinados. Encarar o que aconteceu, lamentar, ir ao lugar do terror e da morte e dizer "Nós conseguimos", mas ela achou uma ideia idiota. Quem voltaria voluntariamente ao inferno? Minha irmã, a única pessoa no planeta que compartilhou tanta coisa comigo, a pessoa a quem credito a minha própria sobrevivência, teve uma reação bem diferente em relação à nossa experiência comum. Nenhuma de nós está certa ou errada, nem é melhor ou pior que a outra, sequer mais ou menos saudável por causa disso. Minha decisão é a correta para mim e a decisão de Magda é a correta para ela. Somos humanas, maravilhosas e falíveis, sem mais, nem menos. E estamos ambas certas. Voltei a Auschwitz sozinha.

Acho que foi isso que Jesus quis dizer quando nos aconselhou a "oferecer a outra face". Quando você oferece a outra face, olha para a mesma coisa com uma nova perspectiva. Pode ser que isso não mude a situação, nem o que se passa na cabeça da outra pessoa, mas você, sem dúvida, passa a olhar a realidade de forma diferente, inclusive aceitando e integrando múltiplos pontos de vista. Essa flexibilidade é a nossa força.

É ela que nos permite ser assertivos, e não agressivos, passivos ou passivo-agressivos. Quando somos agressivos, decidimos pelos outros. Quando somos passivos, deixamos que os outros decidam por nós. E quando somos passivo-agressivos, impedimos que os outros decidam por eles mesmos. Quando você é assertivo, você faz afirmações. Quando decidi voltar a estudar, estava com medo da opinião de Béla, receosa de que ele se ressentisse do tempo que eu ficaria longe da família, ou que não fosse gostar de ser apresentado como "marido da Dra. Eger". Mas quando você é uma pessoa plena, adulta, não precisa pedir permissão a ninguém. Portanto, não coloque sua vida nas mãos de outras pessoas. Simplesmente diga: "Decidi voltar a estudar e fazer um doutorado." Dê à outra pessoa a informação e a liberdade que ela necessita para ser assertiva sobre os próprios desejos, esperanças e medos.

O segredo para manter a liberdade durante um conflito é permanecer fiel à sua verdade e, ao mesmo tempo, renunciar à necessidade de poder e controle.

Críticas não fazem ninguém evoluir.

Ajuda muito aceitar as outras pessoas como elas são, não como esperamos que sejam. Tenho um paciente que vive em permanente conflito com a filha adolescente. Numa sessão, esse paciente me contou que estava chateado porque eles haviam brigado sobre ela usar ou não o carro. A filha explodiu com ele, xingou e falou palavrões. Ele queria que eu agisse como uma juíza, que avaliasse as provas e considerasse a filha culpada, que ficasse do seu lado. Mas não fortalecemos os outros, ou a nós mesmos, quando reclamamos e acusamos a pessoa de fazer isso ou aquilo. Críticas não fazem ninguém evoluir. Portanto, pare com isso. Nada de criticar. Nunca.

Precisamos deixar de lado a crítica sobre os outros, mas acima de tudo sobre nós mesmos, para podermos viver livres de expectativas irreais e da raiva que surge quando nossas expectativas não são atendidas. Sou muito seletiva em relação a quem vai ser alvo da minha raiva porque quando estou com raiva sou eu que sofro.

O conflito prejudicial tem tudo a ver com ficar preso em uma mentalidade tipo "certo" ou "errado". Durante uma viagem à Europa, num verão, Béla e eu descobrimos que o Balé Bolshoi faria uma apresentação em Paris exatamente no período em que estaríamos lá. Sempre havia sonhado em vê-los dançar. Béla comprou um ingresso para mim e me deixou na porta do teatro, mas não entrou. Pensei que fosse pelo dinheiro, por não querer gastar com o segundo ingresso. Ao sair no intervalo, encantada com o espetáculo, encorajei Béla a entrar para assistir ao segundo ato. "Ainda tem lugares vagos", aleguei. "Compre um ingresso e venha desfrutar comigo." Mas ele não quis. "Não dou dinheiro para os russos", explicou. "Não depois do que os comunistas fizeram comigo na Tchecoslováquia."

Béla estava convencido de que essa era uma forma de se vingar da prisão e das crueldades cometidas contra ele. Conversei com meu marido, pedi que reconsiderasse, dizendo que aqueles artistas não tinham nada a ver com o que aconteceu com ele. Mas Béla não mudou de ideia. Voltei ao teatro e aproveitei o restante do espetáculo sozinha. Foi uma pena Béla não ter conseguido deixar a raiva de lado e se sentar ao meu lado no escurinho para assistir a algo incrivelmente bonito. Por outro lado, não posso dizer que minha decisão foi melhor do que a dele. A decisão de Béla foi melhor para Béla, e a minha foi melhor para mim.

Muitos de nós vivemos como se tivéssemos algo a provar. Podemos nos acostumar a ter a última palavra, mas se você ficar tentando provar que está certo ou que é bom, está tentando se transformar em algo que não existe. Todo ser humano é falível. Todo ser humano comete erros. Você não é uma pessoa incapaz – e também não é um santo. Não precisa provar o seu valor. Pode apenas aceitar os fatos, comemorar que é imperfeito e pleno e que nunca haverá alguém como você. Desista do planejamento. Se você tem algo a provar, ainda é um prisioneiro.

Isso é especialmente verdadeiro diante da crueldade ou da perseguição de outra pessoa.

Se você tem algo a provar, ainda é um prisioneiro.

A filha de uma amiga chegou do jardim de infância muito chateada porque uma coleguinha de turma a tinha chamado de "cara de cocô". Minha amiga me perguntou como poderia ajudar a filha a lidar com o conflito. É importante desistirmos da necessidade de nos defender. Todo mundo terá que enfrentar pessoas agressivas, mas se alguém o chamar de "cara de cocô", não diga "Não tenho cara de cocô!". Não se defenda de um crime que não cometeu. Trata-se de uma simples briga de poder. O valentão joga uma corda e você segura na outra ponta, daí ambos começam a puxar e ficam exaustos. São necessárias duas pessoas para brigar, mas basta uma para parar a briga. Portanto, não segure a corda. Diga a si mesmo: "Quanto mais ela fala, mais relaxado eu fico." E não se esqueça de que não é algo pessoal. Quando alguém o chama de "cara de cocô", está na realidade falando de como se vê.

Fiz uma palestra uma vez na Casa Satyagraha, em Johanesburgo, na África do Sul, onde Mahatma Gandhi viveu. Atualmente, a Casa funciona como museu e retiro. Gandhi conseguiu derrotar o Império britânico pregando a paz, sem a retórica do ódio.

Essa foi uma técnica que usei para sobreviver em Auschwitz. Eu estava permanentemente cercada por palavras desumanizadoras – "você é imprestável, suja, só vai sair daqui morta" –, mas não deixei que essas palavras penetrassem em meu espírito.

Não sei como, mas fui privilegiada com a percepção de que os nazistas eram mais prisioneiros do que eu. Entendi isso logo na primeira noite, quando dancei para Mengele. Meu corpo físico estava preso em um campo de concentração, mas meu espírito estava livre. Mengele e os outros teriam sempre que prestar contas pelo que haviam feito. Eu estava paralisada pelo choque, pela fome, pelo medo de ser assassinada, mas ainda assim eu tinha um santuário interior. O poder dos nazistas vinha da desumanização sistemática e do extermínio. Minha força e minha liberdade eram interiores.

Joy é um exemplo maravilhoso de como dissolver o pensamento rígido. Ela ficou casada muitos anos com um homem agressivo que a tratava com desdém e desprezo, atacando-a verbalmente além de ameaçá-la diversas vezes com uma arma apontada para a cabeça. Joy sobreviveu mantendo um diário com anotações meticulosas de todas as interações, o que cada um disse e fez. Registrar a verdade, dia a dia, foi a maneira que ela encontrou de manter a sanidade.

Quando atendo alguém que está vivendo um relacionamento abusivo, sempre digo: se seu parceiro bater em você, vá embora imediatamente. Vá para um centro de acolhimento. Fique com um amigo ou um parente. Leve as crianças, peça ajuda e vá embora.

Se você não sair assim que sofrer a primeira agressão, não será levado a sério pelo agressor. E cada vez que o nível da agressão aumenta, fica mais difícil sair. E, em geral, quanto mais tempo leva o silêncio do agredido, mais a violência aumenta. Além disso, fica mais difícil reverter as marcas psicológicas da agressão e as coisas em que o agressor quer que você acredite – que você não é nada sem ele, que ele bate em você por culpa sua. Em cada minuto de permanência você está se colocando em perigo. Você é valioso demais para correr esse risco.

Quando alguém bate em você, é como um despertador que toca. Você sabe com o que está lidando. Não é fácil ir embora, mas quando você tem noção da capacidade e da tendência para a violência de seu parceiro, metade do problema está resolvido. Quando a agressão é mais indireta e psicológica, pode haver dúvidas. Você pode até se perguntar: "Isso está *mesmo* acontecendo comigo?" Se alguém o agride fisicamente, não existe dúvida. Sim, está acontecendo.

Como Joy não tinha cicatrizes físicas da agressão, sentiu dificuldade em sair do relacionamento. (Essa é outra experiência comum para quem está envolvido numa dinâmica violenta – o medo e, com frequência, a certeza de que ninguém acreditará no que ele diz.) Compreender o que estava acontecendo era apenas uma questão de tempo. Quando o marido concretizou suas ameaças, Joy se separou e ele acabou morrendo de tanto beber.

Depois da morte do marido, Joy foi tomada pela raiva. Ela nutria a esperança de que um dia o marido pediria desculpas pelos anos de agressão, reconheceria seus erros, admitiria que ela tinha razão em se separar dele. Com a morte dele, ela foi obrigada a aceitar que nunca ouviria um pedido de desculpas, que nunca venceria a briga. Num esforço de reconciliação com o passado, ela releu os diários que tinha guardado. A leitura a surpreendeu, não pelo nível de crueldade do marido, mas pelo quanto ela tinha sido cruel com ele.

"Eu maltratei meu marido", reconheceu ela. "Eu reclamava que ele me agredia, mas fiz a mesma coisa com ele. Afastei as crianças, neguei coisas a ele e usei nossos filhos para atingi-lo porque queria magoá-lo. Eu estava desesperada e achava que não havia outra saída. Não conseguia ver nada além da situação pavorosa que vivíamos, mas ele não foi o único a criar problemas em nosso casamento. Eu também fiz isso."

As relações instáveis são complicadas. Nada justifica a violência doméstica, é claro. Mas em conflitos em que não há violência envolvida, dificilmente existe um bom cônjuge e um cônjuge malvado. Os dois parceiros contaminam o relacionamento.

Sean entrou na vida de Alison logo após o fim de uma relação tumultuada dela com um homem que havia cortado seus lábios com um soco, invadido sua casa e feito seu colchão em pedaços com uma faca em retaliação pelo rompimento. Sean surgiu como uma boia de salvação, alguém que cuidava dela, que a estimulava, fazia que se sentisse mais segura. Ele ainda a ajudou a se lançar como cantora, organizando suas turnês e contratos de gravação, marcando aulas especiais e shows com músicos lendários.

Apesar de generoso e amoroso, Sean também era controlador. Alison confiava nele, embora se ressentisse porque Sean comandava sua vida. Começou então a reagir, disputando o controle por meio de uma greve de fome. Alison chegou a ser hospitalizada três vezes por transtorno alimentar, mas a automutilação só piorava. Quando ela começou a queimar os braços e as pernas, Sean deixou de lado as próprias expectativas. Teve um caso extraconjugal, depois outro. O casamento de dezoito anos acabou.

Mais de uma década depois, Alison ainda brigava com Sean pelos direitos autorais das músicas que haviam escrito juntos. E também pela malsucedida tentativa de Sean seduzir a estudante que lhe pedira orientação profissional por indicação de Alison. O casamento dos dois tinha acabado havia muito tempo, mas eles ainda estavam presos numa disputa de poder, ambos tomando decisões nada saudáveis.

Expliquei a Alison que se ela quisesse acabar com as hostilidades, precisava olhar não para as causas do conflito, mas para os responsáveis.

– Por que você está insistindo num ponto de vista que não lhe serve mais? – perguntei.

Alison estava obcecada pelo desejo de provar a culpa de Sean e, é claro, sua inocência. Ela o julgava em sua mente, como se sua vida interior fosse um eterno drama judicial. Só que aquela era uma briga impossível de ser vencida.

Eu disse a ela:

– Querida, você pode estar coberta de razão, mas e daí? Você quer seguir em frente ou provar que tem razão?

A melhor maneira de desistir da necessidade de controle é ser *poderoso*. O poder nada tem a ver com força bruta ou dominação. Significa que você tem determinação para responder em vez de reagir, para assumir a responsabilidade por sua vida e por suas escolhas. Você tem poder porque não abre mão dele.

Se você recuperar o poder e *ainda* quiser ter razão, então escolha ser gentil porque a gentileza é sempre uma boa opção.

Flexibilizar o pensamento pode não apenas alterar nosso relacionamento com alguém, mas mudar nossas percepções e a maneira como vemos e sentimos o mundo.

À medida que Alison começou a se libertar da prisão da rigidez, ela conseguiu definir limites mais claros com seu ex, encontrou energia para investir em sua carreira e iniciou o planejamento de uma turnê internacional. Mas então dois desafios físicos surgiram e perturbaram a paz duramente conquistada. Ela desenvolveu um tremor vocal grave que tornou o ato de cantar um desafio, ameaçando sua carreira, e lesionou as costas. Mesmo atividades cotidianas eram motivo de dor, e até o que Alison fazia por hobby ou para cuidar da saúde, como jardinagem e ioga, teve que ser evitado até ela melhorar. Seu rosto era uma careta crispada, e dava para perceber a dor que estava sentindo pela maneira entrecortada como falava.

– Eu estava indo tão bem, mas provavelmente terei que cancelar a turnê – lamentou.

A vida não é justa. Quando sentimos dor, é natural ficarmos com raiva, preocupados ou frustrados, mas podemos enfrentar qualquer situação, mesmo as injustas ou desagradáveis, com rigidez ou flexibilidade.

– Quando seu corpo doer, não o puna nem fique ressentida ou exija coisas dele. Diga apenas, "estou escutando" – recomendei.

Alison começou a fazer um exercício para trocar a rigidez pela flexibilidade. Ela começou fazendo uma declaração do problema, sem minimizar ou negar sua dor ou frustração.

– Não gosto disso. Dói e incomoda – afirmou.

Depois, parou de resistir e de reclamar de seu corpo e passou a observar e perguntar a ele:

O que você quer me dizer? O que é melhor para mim? O que funciona para mim e me fortalece agora?

Por um tempo, seu corpo lhe disse a mesma coisa: diminua o ritmo, descanse. Ela enfim escutou e, um dia, suas costas começaram a melhorar. Já podia tentar a aula de ioga restaurativa. De volta aos exercícios físicos, descobriu que conseguia se movimentar com mais suavidade e atenção quando se preocupava menos em melhorar seu desempenho e mais com sua experiência interior. Sua definição de "entender as coisas" havia mudado. Antes de machucar as costas, ela estava sempre se desafiando. Por quanto tempo conseguiria manter o difícil equilíbrio dos braços, ou até onde conseguiria ir com aquela torção de tronco? Alison se via agora menos presa às próprias expectativas.

Não temos que gostar das coisas difíceis ou dolorosas que nos acontecem. Mas, quando paramos de brigar e resistir, sobra mais energia e imaginação para seguirmos em frente.

Joy também entendeu isso. Como Alison após o divórcio, ela passou anos paralisada pelo pensamento rígido, presa num raciocínio dicotômico: bom/ruim, certo/errado, vítima/agressor. Por encarar qualquer situação de forma categórica e absoluta, os riscos eram sempre altos – tudo ou nada, vida ou morte. Isso fazia qualquer conflito, mesmo uma questão menor, parecer traiçoeiro. Como não havia espaço em seu raciocínio para nuances ou complexidades, Joy não aceitava que discordassem dela.

Quando ela descobriu como a realidade era complexa, que também tinha culpa pelo fim de seu casamento, que nem sempre estava certa, algo incrível aconteceu. Sua visão tinha mudado. Ela conseguia perceber a intensidade das cores. Livre do pensamento binário e da interpretação rígida do passado, o mundo parecia mais vivo e mais vibrante.

Flexibilidade é força. Aprendi isso quando treinava como ginasta. É por isso que danço sempre que tenho a oportunidade e meu corpo aguenta, e essa também é a razão por que termino minhas palestras lançando minha perna bem para o alto.

Isso vale tanto para a psique quanto para o corpo. Você é forte quando é flexível e ágil. Portanto, levante-se toda manhã e faça alongamentos. Desenvolva a amplitude mental do movimento que o mantém livre.

ESTRATÉGIAS PARA SE LIBERTAR DA RIGIDEZ

- **Dê um abraço suave.** Escolha um desafio atual em sua vida: uma lesão ou doença, uma tensão contínua ou conflito, ou qualquer situação em que você se sinta cerceado, limitado ou confinado. Comece falando a sua verdade. Do que você não gosta? Como isso faz você se sentir? Depois, seja curioso e pergunte-se: "O que a situação está me dizendo? O que é do meu interesse? O que é melhor para mim? O que me atende e me fortalece agora?"

- **Reconheça as outras pessoas como elas são.** Anote o nome de uma pessoa com quem você está em conflito. Depois escreva suas queixas sobre esta pessoa. Por exemplo: "Minha filha é rude e ingrata. Ela me xinga e fala palavrões. Não me respeita, me ignora solenemente e não obedece ao horário de chegar em casa." Agora reescreva a lista, mas, desta vez, relate o que observar sem emitir opiniões, interpretar, julgar ou presumir. Elimine palavras rígidas como "sempre" e "nunca". Simplesmente relate os fatos: "Às vezes minha filha levanta a voz e fala palavrões. Uma ou duas vezes por semana, ela chega em casa depois das 23 horas."

- **Cooperação, não dominação.** Escolha um item da lista de observações que você gostaria de abordar com a outra pessoa. Reserve um horário neutro para conversar, não no auge do conflito. Primeiro, descreva suas observações: "Percebi que você tem chegado depois das 23 horas alguns dias da semana." Depois, pergunte o ponto de vista da outra pessoa. Para isso, basta uma pergunta simples: "O que está acontecendo?" Em seguida, sem culpar ou envergonhar a outra pessoa, diga o que você quer: "É importante para mim que você durma bem durante a semana. Eu adoraria saber, antes de ir dormir, que você está segura em casa." Por fim, convide a pessoa a colaborar em um plano: "Que ideias você tem para uma solução que seja boa para nós dois?" Tudo bem se o conflito não for resolvido imediatamente. O mais importante é mudar para uma abordagem cooperativa do conflito – e privilegiar o relacionamento, não as necessidades de cada pessoa por poder e controle.

- **Trate os outros como eles são capazes de se tornar.** Visualize uma pessoa com quem você está tendo um conflito. Agora imagine o eu superior dessa pessoa. Pode ajudar se você fechar os olhos e pensar na pessoa envolta em luz. Coloque a mão sobre o seu coração e fale: "Eu vejo você."

CAPÍTULO 8

VOCÊ GOSTARIA DE SER CASADO COM VOCÊ MESMO?

A prisão do ressentimento

Os maiores empecilhos à intimidade são a irritação e a raiva crônica de baixa intensidade.

O ressentimento que eu sentia em relação a Béla por sua impaciência e gênio forte, por continuar preso ao passado e pela decepção que às vezes demonstrava quando olhava para nosso filho me envenenou durante tantos anos que achei que a única maneira de me libertar disso seria pedir o divórcio. Mas, depois que nos separamos e bagunçamos completamente a vida de nossos filhos, sem falar da nossa, entendi que minha decepção e minha raiva tinham pouco a ver com Béla e tudo a ver comigo, com minhas próprias questões emocionais não resolvidas e com o luto não vivido.

A sensação de sufocamento que eu sentia no casamento não era culpa de Béla, mas o resultado de todos os anos que passei renegando meus sentimentos. Para começar, a tristeza por minha mãe, que desistiu de uma vida independente e cosmopolita num consulado em Budapeste, abriu mão do homem que amava porque não era judeu e agiu como os outros esperavam que ela fizesse. Depois, o medo de repetir a solidão do casamento dos meus pais. Havia ainda o luto por meu primeiro amor, Eric, que morreu em Auschwitz. E também o luto por meus pais. Eu me casei e me tornei mãe antes de aceitar as minhas perdas. E, de repente, eu estava com 40 anos, a idade de minha mãe ao morrer. Parecia que eu estava ficando sem tempo para viver como queria: com liberdade. Mas em vez de encontrar a liberdade através da descoberta de meu verdadeiro propósito e direção, decidi que, para ser livre, precisava me afastar dos gritos de Béla, de seu cinismo e de sua irritação e decepção. Enfim, das coisas que eu imaginava que me limitavam.

Muitas vezes sentimos raiva porque há um descompasso entre as nossas expectativas e a realidade. Achamos que a outra pessoa está nos enganando e nos irritando, mas a verdadeira prisão são as nossas expectativas irreais. Muitas vezes nos casamos como Romeu e Julieta, sem que um conheça realmente o outro. Ficamos apaixonados pelo amor ou por uma pessoa imaginária, a quem atribuímos todas as características e atributos que desejamos, ou ainda por alguém com quem possamos repetir os padrões aprendidos em família. Também apresentamos um eu falso, que esconde quem realmente é em nome de buscar o amor e um relacionamento seguro. A paixão é uma euforia química. A sensação é incrível, porém temporária. Quando a sensação se dissipa, resta apenas o sonho perdido e o sentimento de perda em relação ao parceiro ou relacionamento que nunca tivemos de fato. Muitos relacionamentos recuperáveis são abandonados no desespero.

Mas o amor não é o que você sente. É o que você faz.

Não há como voltar ao início de um relacionamento, quando você ainda não ficava irritado, decepcionado ou desanimado. Há algo melhor: um renascimento. Um novo começo.

Marina, artista e dançarina, queria descobrir se o seu casamento teria oportunidade de se reinventar. Se ela e o marido poderiam seguir juntos de uma forma saudável, ou se o caminho para a liberdade era a separação.

– Brigamos todos os dias há dezoito anos – contou ela, enquanto enrolava o longo cabelo louro para fazer um coque.

As brigas às vezes eram violentas. O marido não batia nela, mas empurrava cadeiras, jogava o telefone na parede, e uma vez virou a cama onde Marina estava sentada.

– Evito ficar em casa – disse ela – porque toda conversa vira um monólogo com ele me dizendo o que fiz de errado.

Apesar do medo de enfrentar o marido e até de sair da sala quando ele estava no auge da raiva, ela tentava manter sua autoestima e a paz. Mas estava perdendo o respeito por si mesma e se sentindo cada vez mais desrespeitada. Sem contar que as brigas constantes abalavam a filha adolescente. Marina não queria que as coisas continuassem daquele jeito, mas se sentia insegura quanto a traçar um caminho para o futuro e confusa em relação a suas opções.

Toda escolha tem um preço, além de perdas e ganhos. Sempre existe a possibilidade de escolher não fazer nada. Decidir não decidir. Seguir em frente do mesmo jeito. No outro extremo, Marina poderia decidir pedir o divórcio.

– Você não tem que ficar presa numa situação ruim – alertei.

Por outro lado, expliquei que o divórcio pode ser uma forma radical de continuar sem resolver nada.

– O que se ganha com a separação? Um pedaço de papel que diz que agora você está livre para se casar com outra pessoa.

Toda escolha tem um preço, além de perdas e ganhos.

O divórcio não resolve a questão emocional do relacionamento. Apenas lhe dá permissão legal para que repita o mesmo padrão com outra pessoa. Ele não liberta. Se Marina decidisse deixar seu marido ou permanecesse casada, sua tarefa seria a mesma: revelar as necessidades e expectativas que ela havia levado para o casamento e curar as feridas que já carregava anteriormente e que levaria pelo resto da vida até conseguir lidar com elas.

Primeiro, analisamos as suas expectativas:

– Você sabia que seu marido era tão bravo quando se casou com ele? – perguntei.

Ela negou com veemência.

– Ele é um sedutor – disse ela, lembrando que ele é um ator da melhor qualidade, do tipo que sabe encantar a plateia.

Antes de se casarem, Marina conheceu apenas esse lado charmoso, filosófico e romântico do marido.

– Agora os sapatos voam.

– Então por que você ainda não foi embora? – questionei.

Como já disse antes, todo comportamento satisfaz uma necessidade. Mesmo uma situação de coerção e medo pode nos ser útil de alguma forma.

– Você precisa da segurança financeira? Ou, talvez, precise da briga?

– Tenho medo de ficar sozinha – admitiu ela.

O medo de ser abandonado nos acompanha desde criança. Mas ao descrever sua infância na Europa Ocidental, ficou claro que o medo de abandono de Marina foi agravado pela negligência. Ela tinha 14 anos quando o pai disse que não aguentava mais viver com sua mãe e foi embora. Nunca mais voltou para visitar os filhos, sequer ligou algum dia para saber como estavam. A mãe ficou tão desesperada que não conseguiu lidar com as necessidades da família. Marina, então, assumiu esse papel, colocando os irmãos na cama para dormir, ficando acordada até tarde a fim de preparar a comida para o dia seguinte.

Um ano depois, quando o Muro de Berlim caiu, a mãe fez seu próprio anúncio devastador. Ela havia conhecido um homem da Alemanha Oriental por um anúncio de jornal. Estava se mudando para morar com ele e levaria os filhos mais novos. Marina ficaria e teria que se virar sozinha. A mãe entregou a ela o contrato de aluguel de um quarto em uma casa e partiu no dia seguinte. E desapareceu por mais de um ano.

O fato de Marina ter sobrevivido é a maior prova de sua força interior e resiliência. Ela ficou no quarto alugado durante alguns meses. Com a chegada de novos inquilinos, incluindo um homem mais velho que tentou seduzi-la indo a seu quarto à noite com um copo de vinho, Marina cancelou o aluguel. Saiu da escola e passou a pular de cidade em cidade, por toda a Europa Ocidental, conforme os empregos que arrumava. Tomou conta de uma casa enquanto os proprietários viajavam de férias, morou numa comuna de artistas e ficou um período numa fazenda de reabilitação, aonde as pessoas iam para cuidar de cavalos. Convencida de que o abandono dos pais se devia ao fato de ela ser uma pessoa terrível, desenvolveu um sério distúrbio alimentar. Marina acreditava que se conseguisse desaparecer seus pais finalmente dariam por sua falta. Quando completou 16 anos, a dona da fazenda de reabilitação, ela mesma uma alcoólatra, expulsou Marina de lá. Ela ficou na rua com uma mala em cada mão, sozinha e sem ter onde morar. Desesperada, telefonou para a mãe e implorou por ajuda. Todavia, a mãe, ainda absorvida pelos próprios problemas, recusou.

–Daquele momento em diante, eu soube que estava completamente sozinha no mundo – afirmou Marina.

Com 20 e poucos anos, ela se mudou para Berlim em busca de oportunidades de trabalho. Conhecidos a apresentaram a um grupo de artistas, com os quais começou a ensaiar. Passou a morar num antigo trailer estacionado no quintal de sua ex-escola. Não era uma vida fácil. O trailer não dispunha de aquecimento, então ela congelava durante os gélidos invernos de Berlim, enquanto se dedicava a ensaios rigorosos. A nova vida lhe caiu bem. A dança a fazia se sentir forte e livre. Ela já não queria mais passar fome – nem podia, ou o corpo ficaria enfraquecido. Havia descoberto sua paixão e propósito: a alegria de movimentar o corpo, o poder do movimento e da expressão.

Marina se apaixonou por outro artista nascido na Alemanha Oriental durante a Guerra Fria. Ele tinha dificuldade em demonstrar suas emoções, seu amor.

– Como meus pais, acho – explicou Marina de maneira melancólica.

Dois anos depois de se separarem, o ex-namorado se suicidou. Racionalmente, Marina sabia que não tinha culpa pela morte dele e que mesmo se tivessem ficado juntos, não poderia salvá-lo, porém a perda a abalou muito.

– Só encontraram seu corpo uma ou duas semanas depois que ele tinha morrido. Estava completamente sozinho – comentou.

Todos levamos para os relacionamentos mensagens que aprendemos na infância. Geralmente é uma frase literal que alguém repetiu, como a que minha mãe dizia: "Um marido ruim é melhor do que nenhum marido." Algumas vezes é algo que absorvemos a partir de ações dos outros ou do ambiente familiar.

– Querida, vejo que você carrega uma mensagem dentro de si, de que, se amar alguém, essa pessoa a abandonará – ponderei.

Lágrimas brotaram nos olhos dela e Marina se abraçou como se de repente a sala tivesse ficado gelada.

Quando estamos presos, são as mensagens prejudiciais que mais deixam marcas.

– Mas há outra mensagem em sua história – continuei. – A que mostra você como uma mulher forte. Você já foi aquela garota assustada, solitária, em pé na rua com as malas na mão. Poderia ter morrido, mas não morreu. Agora, olhe para você... Você transformou algo que não queria em algo bom. *Você é* boa.

Como acreditava genuinamente que não merecia ser amada, Marina escolheu um parceiro e padrões de comportamento que reforçavam essa crença. Vejo essa dinâmica com frequência nos casamentos entre militares. Quando são constantes as mobilizações ou transferências para começar do zero uma vida nova em outro lugar, é difícil acreditar que alguém ficará a seu lado, tanto pela instabilidade quanto pelos períodos de separação. Uma forma de lidar com o medo de sofrer por estar longe, ou de ser abandonado ou vítima de infidelidade, é evitar a proximidade. Marina se casou com um homem que a encantou e a fez se sentir segura e amada, mas que, no fim, usou o relacionamento como alvo de suas frustrações. Ele trouxe seu sofrimento para o relacionamento, e seu método de lidar com as questões emocionais não resolvidas por meio da raiva e da culpa apenas reforçou a mensagem internalizada por Marina de que o amor significa mágoa e abandono.

– Talvez vocês dois estejam usando as brigas para impedir a intimidade – sugeri. – Portanto, vamos analisar o padrão.

Muitos casais seguem uma coreografia de três passos de dança, um ciclo de conflitos que se repetem. O primeiro passo é a frustração. O relacionamento se deteriora e logo eles passam para o segundo passo: a briga. Eles gritam e se irritam até cansar, daí entram no terceiro passo: fazer sexo. (Nunca faça sexo depois de brigar, pois isso apenas reforça a briga.) O sexo dá a impressão de que o conflito acabou, mas na realidade é a continuação do ciclo. A frustração inicial não foi resolvida. Vocês acabaram de se preparar para outra rodada.

Eu queria apresentar algumas estratégias a Marina para ajudá-la a parar a dança no primeiro passo. Quais foram os gatilhos de frustração que os levaram a perpetuar essa dança limitante?

– Ou bem você está contribuindo para o relacionamento ou bem o está contaminando – afirmei. – Como é que cada um de vocês contamina o casamento?

– Quando quero conversar com ele, expressar um sentimento ou abordar um assunto, ele tem medo de ser o culpado, de que algo seja culpa dele.

A defesa preferida dele era a ofensa. Virar o jogo e atacar Marina, enchendo-a de culpa e crítica.

– E o que você faz? – perguntei.

– Eu tento me explicar ou falo "pare", e ele explode, e começa a chutar, jogar ou quebrar as coisas.

Passei uma tarefa para Marina, um atalho para tirar tanto ela quanto o marido do caminho que eles insistiam em trilhar.

– Da próxima vez que ele disser que você está errada, responda "você está certo". Ele ficará sem ter o que dizer e você não estará mentindo porque todo mundo comete erros; qualquer um pode melhorar. Diga apenas, "sim, você está certo".

Quando negamos uma acusação, ainda assim aceitamos a culpa. Estamos assumindo a responsabilidade por algo que não nos pertence.

Quando negamos uma acusação, ainda assim aceitamos a culpa.

– A próxima vez que ele estiver zangado, pergunte-se de quem é o problema. A não ser que tenha causado o problema, não se sinta responsável quando ele tenta empurrar a responsabilidade para você. Devolva o conflito: "Parece que você está em uma posição difícil, parece que está irritado." Se ele tentar direcionar os sentimentos dele para você, devolva a bola para ele. É ele que tem que enfrentar o sentimento e você espera que ele consiga resolver. Quando você entra em cena, ele está olhando para você, não para o sentimento dele. Pare de resgatá-lo.

Quando Marina e eu conversamos algumas semanas mais tarde, ela contou que as estratégias de abrandamento estavam funcionando. As brigas haviam diminuído sensivelmente.

– Mas tenho muita mágoa dele ainda – admitiu ela.

Daquela vez, não era sobre a raiva do marido que ela queria falar. Era sobre a sua própria raiva.

– Na minha cabeça, ele é responsável por tudo.

Sugeri que ela fizesse o oposto.

– Agradeça a ele.

Ela me encarou, as sobrancelhas levantadas mostrando surpresa.

– Você escolhe sua atitude. Então agradeça a ele e a seus pais também. Eles estão ajudando você a se tornar uma ótima sobrevivente.

– E simplesmente ignoro o que aconteceu? Esqueço o que todos fizeram?

– Apenas aprenda a viver em paz com isso – recomendei.

Muita gente não teve os pais amorosos e cuidadosos que desejavam e mereciam. Talvez eles estivessem ocupados, irritados, preocupados ou deprimidos. Talvez tenhamos nascido na hora errada, numa fase de atrito, de perda ou de tensão financeira. Talvez nossos cuidadores estivessem lidando com seus próprios traumas e por isso nem sempre foram sensíveis às nossas necessidades de atenção e carinho. Talvez não tenham nos colocado no colo e dito "Sempre sonhei ter um filho como você".

– Você está sofrendo por causa de pais que nunca teve – disse a Marina. – E pode sofrer por um marido que também não tem.

O sofrimento nos ajuda a encarar e, em última análise, a nos libertarmos do que aconteceu ou deixou de acontecer. Ele abre espaço para vermos como as coisas são de fato e escolher para onde vamos a partir daqui.

– Você gostaria de ser casada com você mesma? – perguntei.

Marina me olhou confusa.

– Do que gosta em você?

Ela ficou em silêncio, as sobrancelhas franzidas como se tivesse ouvido algum absurdo. Ou talvez estivesse apenas pensando no que falar.

Marina começou hesitante, mas sua voz foi aos poucos ficando mais firme.

Os olhos dela brilharam e um rubor tingiu suas bochechas.

– Gosto de me preocupar com as outras pessoas – disse ela. – Gosto de ser uma pessoa de paixões, de emoções fortes. Gosto de não desistir nunca.

– Anote isso, querida – sugeri. – Leve essas palavras com você.

Fazer um levantamento honesto é muito importante. É fácil recorrer às críticas dos outros e de nós mesmos, e focar nos erros e nas reclamações. Mas todos nós somos bons. Escolhemos onde queremos nos concentrar.

– O que seu marido tem de bom? – questionei.

Marina fez uma pausa, apertando os olhos como se estivesse tentando ver à distância.

– Ele se importa – respondeu ela. – Mesmo sendo do jeito que é, sei que se preocupa comigo. Está se esforçando. Quando machuquei o ombro, ele me ajudou. Há momentos em que me apoia.

– Você fica mais forte com ou sem ele?

Somente você pode decidir se um relacionamento drena suas forças ou o fortalece. Mas essa não é uma questão para responder com pressa. Você não tem como saber a verdade sobre seus relacionamentos até começar a lidar com suas próprias feridas e enterrar e esquecer todas as coisas do passado que continua arrastando por aí.

Minha decisão de me separar de Béla foi cruel, desnecessária, mas, de certa maneira, útil: abriu mais espaço e tranquilidade para que eu começasse a enfrentar meu passado e meu sofrimento. Todavia não me libertou das emoções e traumas, dos flashbacks e das sensações de entorpecimento, isolamento e medo. Somente eu podia fazer isso.

– Tenha cuidado com o que você faz quando está inquieta – avisou minha irmã Magda. – Você pode começar a pensar nas coisas erradas. "Ele é muito isso, é muito aquilo, eu já sofri o suficiente." Você acaba sentindo falta das mesmas coisas que a incomodavam.

Senti falta de Béla, de seu jeito de dançar e de sua alegria. Seu bom-humor incansável e a capacidade de me fazer rir, apesar de tudo. Sua eterna atração pelo risco.

Dois anos depois do divórcio, voltamos a nos casar. Mas não voltamos para o mesmo casamento que tínhamos antes. Não nos conformamos um com o outro, escolhemos um ao outro novamente, desta vez sem a lente distorcida do ressentimento e das expectativas não atendidas.

– Seu marido virou alvo de sua raiva – disse à Marina. – Mas talvez ele não seja a pessoa com quem você realmente está irritada.

Escolhemos as pessoas para desempenhar os papéis que nos ajudam a encenar a história que decidimos contar. Quando contamos uma história nova – quando voltamos para nossa plenitude – nossas relações podem melhorar. Ou podemos descobrir que não precisamos mais delas, que elas não têm espaço na história da liberdade.

Você não tem que descobrir isso depressa. Na verdade, é melhor parar de pensar e tentar entender. Trata-se de uma resposta que só virá se nos divertirmos mais, se vivermos da melhor forma possível e se formos quem já somos: pessoas fortes.

ESTRATÉGIAS PARA SE LIBERTAR DO RESSENTIMENTO

- **Mude o ritmo da dança.** Muitos casais têm uma dança de três passos, um ciclo de conflitos que se repetem. Ela começa com a frustração, passa para a briga e parece recuperar a harmonia quando transam. Se a frustração inicial não for resolvida, a paz não será duradoura. Quais gatilhos da frustração continuam sem solução em seu relacionamento? Como mudar a dança no primeiro passo, antes de reiniciar o ciclo? Escolha fazer algo diferente na próxima vez que a frustração aparecer. Faça isso. Anote como foi o resultado e comemore qualquer mudança.

- **Cuide de suas questões emocionais.** Reflita sobre a mensagem de amor que você aprendeu quando criança e que pode estar levando para seus relacionamentos. Por exemplo, Marina estava levando a mensagem de que se você ama alguém, essa pessoa a abandona. O que sua infância lhe ensinou sobre o amor? Preencha nesta frase: Se você ama alguém, ____________.

- **Você gostaria de ser casado com você mesmo?** Que qualidades você acha que estruturam uma relação confortável e próspera? Gostaria de estar casado com alguém como você? Quais pontos positivos você oferece? Faça uma lista. Quais comportamentos podem ser um desafio para a convivência? Faça uma lista. Você está vivendo de uma forma que desperte o que você tem de melhor?

CAPÍTULO 9

VOCÊ ESTÁ EVOLUINDO OU ANDANDO EM CÍRCULOS?

A prisão do medo paralisante

Dei aula de Psicologia numa escola de ensino médio de El Paso por alguns anos, chegando a ganhar até o prêmio de melhor professora do ano, quando decidi voltar a estudar e cursar um mestrado de Psicologia Educacional. Um dia, meu supervisor clínico me procurou e disse:

– Edie, você precisa ter um doutorado.

Ri.

– Quando me formar, estarei com 50 anos – falei.

– Você fará 50 anos de qualquer forma.

Essas foram as palavras mais sábias que alguém já me disse.

Você também fará 50 anos de qualquer maneira – ou 30, 60 ou 90 anos. Por isso, pode muito bem arriscar. Faça algo que você nunca fez antes. Mudança é sinônimo de crescimento. Para crescer, você precisa evoluir em vez de andar em círculos.

Nos Estados Unidos, a gíria para psicólogo é *shrink*, uma abreviação da expressão "encolhedor de cabeças" (*headshrink*), e passou a designar os profissionais de saúde mental que "mexem" com a cabeça dos pacientes. Prefiro me ver como "ampliadora" de cabeças. E conversar de sobrevivente para sobrevivente, orientando-os a se libertarem de suas crenças autolimitantes e a investir em seu potencial.

Estudei latim quando menina e adoro a frase *Tempura mutantur, et nos mutamur in illis*. Os tempos estão mudando e nós mudamos junto. Não estamos presos ao passado nem a velhos padrões e comportamentos. Vivemos aqui e agora, no presente, e depende de nós aquilo a que nos apegamos, o que deixamos para lá e o que almejamos.

Gloria ainda carrega um fardo pesado. Ela fugiu da guerra civil em El Salvador quando tinha 4 anos, cresceu num ambiente extremamente violento, onde sua mãe era espancada pelo pai com frequência. Aos 13 anos, quando visitava a família em El Salvador, foi estuprada pelo tio, o pastor que a batizara. Ele a atacou na noite de Natal, destruindo sua fé e sua sensação de segurança. Ninguém acreditou quando Gloria contou sobre o estupro e o tio até hoje continua nas atividades sacerdotais.

– Guardo muita angústia e mágoa – contou ela. – O medo permeia tudo em minha vida, mas não quero perder meu marido nem meus filhos para o passado. Preciso que as coisas mudem, mas não sei como fazer isso, muito menos por onde começar.

Gloria achou que cursar uma faculdade de Assistência Social poderia ajudá-la a encontrar propósito no presente e libertá-la do peso do passado. No entanto, ouvir as experiências de tantas outras vítimas só aumentou seu desespero e sua impotência, e ela acabou abandonando o curso. Gloria detestava se sentir derrotada, e detestava ainda mais que seus filhos percebessem suas dificuldades. Agora, além da constante tensão e da sensação de pânico por seu passado, vive com medo de que seus filhos sejam agredidos do mesmo modo que ela.

– Faço tudo o que posso para garantir a segurança deles – disse ela. – Mas nem sempre estarei presente para protegê-los. Não quero que vivam com medo. Não quero passar o meu medo para eles.

Atividades cotidianas, como levar a filha a um acampamento de férias, provocam muito medo. Ela fica acordada a noite toda pensando no que pode acontecer com a menina.

Nunca devemos parar de buscar segurança e justiça, nem de fazer tudo que está a nosso alcance para nos proteger e para proteger nossos entes queridos, vizinhos e todos os seres humanos. Mas podemos escolher se vamos sucumbir ao medo.

O medo usa as palavras mais insistentes, implacáveis e provocadoras: *e se, e se, e se?* Quando o medo se apresenta como um ataque de pânico e seu corpo treme, seu coração acelera e o trauma ao qual você já sobreviveu ameaça o engolir, pegue você mesmo pela mão e diga: "Obrigado, medo, por querer me proteger." Depois diga: "Isso foi antes, agora é assim." Repita isso várias vezes. Você já conseguiu. Dê um abraço em si mesmo e faça um carinho em seus ombros. "Vai ficar tudo bem", repita. "Amo você."

O medo e o amor não podem coexistir.

Você nunca sabe o que vai atingir sua vida. Não dá para prever quem pode aparecer para magoar, xingar, dar um soco, quebrar uma promessa, trair sua confiança, jogar uma bomba, começar uma guerra. Gostaria de lhe dizer que amanhã o mundo estará livre de crueldade, violência e preconceito, estupro, perversão e genocídio, mas isso pode nunca se tornar realidade. Vivemos em um mundo perigoso, portanto, vivemos com medo. Sua segurança *não está* garantida.

Mas o medo e o amor não podem coexistir. E o medo não tem que ditar a sua vida.

Liberar o medo começa com você.

Quando já fomos feridos ou traídos, fica difícil deixar de lado o medo de sermos atingidos novamente.

As palavras favoritas do medo são "eu avisei". *Avisei* que você se arrependeria. *Avisei* que era arriscado demais. *Avisei* que as coisas não acabariam bem.

E nós detestamos decepcionar nossos pressentimentos.

Nós nos apegamos ao medo pensando que a vigilância vai nos proteger, mas o medo se torna um ciclo implacável, uma profecia autorrealizável. Uma proteção melhor contra o sofrimento é saber como se amar e se perdoar, se proteger – e não se punir pelos erros, pelo sofrimento e pela dor, que são partes inevitáveis da vida.

Kathleen me apontou essa dificuldade quando conversamos, algum tempo depois de seu marido ter um caso extraconjugal.

Kathleen vivia uma fase feliz em seu casamento de doze anos com um médico reconhecido. Havia feito uma pausa em sua carreira para cuidar dos filhos pequenos, quando recebeu uma ligação. Um homem de quem ela jamais ouvira falar afirmou dirigir um serviço de acompanhantes e ameaçou arruinar a carreira de seu marido, expondo seu caso com uma das garotas, e exigiu que Kathleen pagasse pelo seu silêncio. Era uma situação sórdida e estranha, típica de novelas e pesadelos. Mas quando ela confrontou o marido, ele disse que era verdade. Ele havia contratado os serviços de uma acompanhante. O homem que ligou para Kathleen era o gigolô da prostituta.

Ela ficou em choque. Tremia incontrolavelmente, não conseguia comer nem dormir. Seu mundo virou de cabeça para baixo e do avesso. Como não percebeu o que estava acontecendo? Ela entrou num estado de vigilância permanente, esmiuçando a própria vida em busca de pistas que a ajudassem a entender por que seu marido a enganara, além de procurar indícios de novas traições.

Porém, com o tempo e a ajuda de um conselheiro matrimonial, a infidelidade virou uma oportunidade para ela e o marido redescobrirem o casamento e reavivarem a intimidade. Ao recuperarem a estabilidade, ele a surpreendeu com atitudes mais atenciosas e românticas. O casamento deles parecia mais alegre. Eles organizaram uma grande festa de Natal e iluminaram a casa toda. No Dia dos Namorados, seu marido a acordou antes do amanhecer e levou-a pelo corredor escuro até a escada enfeitada com pétalas de rosa, iluminada por velas. Eles se sentaram e choraram. Gentileza e confiança davam novamente as cartas em seu relacionamento.

Kathleen mal sabia que seu marido estava prestes a tomar outra decisão destrutiva: iniciar outro caso amoroso, dessa vez com uma colega mais jovem. Poucos meses depois, ela encontrou uma carta apaixonada que ele tinha escrito para a amante.

Kathleen e eu conversamos dois anos após a descoberta devastadora da segunda traição. Ela optou por permanecer casada e, mais uma vez, eles apostaram numa terapia de casal para reconstruir o relacionamento do zero. Ela me contou que em muitos aspectos a relação saiu fortalecida. Seu marido está menos fechado, menos nervoso e mais carinhoso. Ele a abraça, beija e a apoia. Está mais presente, faz chamadas de vídeo ou telefona do trabalho para que Kathleen saiba que ele está realmente onde diz estar. Aceita até conversar sobre o que o levou à segunda traição: "Eu era muito narcisista, queria ter tudo", assume ele, lamentando profundamente seu comportamento.

Mas Kathleen ainda é prisioneira do medo.

– Tenho um marido amoroso e atencioso como sempre sonhei – afirmou ela. – Mas não consigo aceitar, não acredito nele. Passo os dias imaginando mil coisas, revivendo o passado, à espera de algum sinal de que ele esteja novamente me traindo. Sei que estou deixando de viver e que preciso aprender a confiar nele de novo. Estou tentando focar o momento atual, porém não consigo evitar o medo. Não consigo parar de vigiá-lo e monitorá-lo.

Quando vivemos em meio a tantas dúvidas, procuramos sinais que acalmarão ou confirmarão nossos medos. Mas seja lá o que estivermos procurando fora de nós, precisamos, primeiro, lidar com o nosso interior.

– Talvez não seja de seu marido que você duvide – expliquei. – Talvez seja de você. Ouvi você dizer três vezes "não consigo".

Os olhos dela se encheram de lágrimas.

– Você não acredita suficientemente em você. Você precisa acabar com essa dúvida sobre si mesma.

A prisão do medo pode se tornar um estímulo para o crescimento e fortalecimento. Para realizar esta transformação, a linguagem é uma das nossas ferramentas mais poderosas.

– Vamos começar com o "não consigo" – propus a ela. – Em primeiro lugar, isso é mentira. *Não consigo* significa que estou impotente. E a não ser que você seja uma criança, isso não é verdade.

Quando dizemos "não consigo", o que de fato estamos dizendo é "não". *Não aceitarei isso. Não acreditarei. Não me esconderei do medo. Não pararei de vigiá-lo e monitorá-lo.* A linguagem do medo é a linguagem da resistência. E se resistimos é porque estamos nos esforçando muito para garantir que não vamos a lugar algum. Negamos o crescimento e a curiosidade. Andamos em círculos, não evoluímos e desconsideramos oportunidades de mudança. Pedi que Kathleen eliminasse o *não consigo* de seu vocabulário.

Se você for eliminar algo de sua vida, terá mais sucesso substituindo-o por outra coisa. Se decidir abandonar o álcool, por exemplo, tome outra bebida de que goste. Se quiser parar de se afastar e se esconder de uma pessoa querida, como Robin num capítulo anterior, troque o hábito de deixar a sala por ficar e olhar para seu parceiro com carinho e um sorriso nos lábios.

Eu disse a Kathleen:

– Sempre que você começar a dizer "não consigo", troque por "consigo". *Consigo* esquecer o passado. *Consigo* permanecer no presente. *Consigo* me amar e confiar em mim.

Apontei também duas outras frases baseadas no medo que ela usara seguidamente no primeiro minuto da nossa conversa: *Estou tentando* e *Preciso*.

– Você disse que está tentando viver no presente – afirmei. – Mas tentar é mentir. Ou você está vivendo ou não está.

Quando você diz "estou tentando", não precisa realmente agir. Está livre para fazer o que quiser.

– Está na hora de parar de tentar e começar a agir – recomendei.

Quando estamos prestes a entrar em ação, é comum usarmos a expressão "eu preciso". Ela soa como se estivéssemos identificando objetivos e estabelecendo prioridades. Kathleen queria mudar o medo e o controle em seu casamento, mas dizia "Sei que *preciso* aprender a confiar nele novamente".

Expliquei que isso era outra mentira.

– Necessidades são coisas sem as quais não podemos sobreviver, como respirar, dormir e comer.

Podemos parar de nos cobrar dizendo a nós mesmos que determinada coisa é necessária para a nossa sobrevivência quando ela não é. E podemos parar de olhar para as nossas escolhas como se fossem obrigações.

– Você não *precisa* confiar em seu marido – afirmei. – Você *quer* confiar nele. E quando você quer, pode escolher fazer isso.

Preste atenção no Não consigo, *no* Estou tentando, *no* Preciso *e veja se consegue substituir essas frases limitantes por* Consigo, Quero, Estou disposto, Escolho.

Ao falarmos como se fôssemos forçados, coagidos ou incapazes, é assim que vamos pensar. É assim também que vamos nos sentir e, consequentemente, que nos comportaremos. Acabamos nos tornando prisioneiros do medo: Preciso fazer isso, *ou outra coisa.* Quero fazer aquilo, *mas não posso*. Para se libertar dessa prisão, preste atenção na sua maneira de falar. Preste atenção no *Não consigo*, no *Estou tentando*, no *Preciso* e veja se consegue substituir essas frases limitantes por *Consigo, Quero, Estou disposto, Escolho*. Esse é o modo de falar que nos estimula a mudar.

Kathleen não sabe se o marido voltará a traí-la. Caso venha a se separar dele, pode muito bem ser traída por outra pessoa. Mas ela tem os meios para se libertar desse estado de paralisia.

De quem é a responsabilidade se os seus sonhos e comportamentos não estão alinhados? Um paciente disse que se tivesse melhores hábitos de sono conseguiria prestar mais atenção no trabalho e ser mais paciente com a família. Ainda assim, ele tomava cinco xícaras de café por dia.

Outra paciente ansiava por um relacionamento estável e responsável, mas continuava acordando cada dia na cama de um homem diferente. Os objetivos e as escolhas desses pacientes não combinam. Sou totalmente a favor do pensamento positivo, mas ele não tem futuro a não ser que seja acompanhado por uma ação positiva.

E nós podemos parar de nos esforçar tanto para não ter resultado algum.

Uma das maneiras de resistir à mudança é ser duro consigo mesmo. Uma paciente me contou que queria emagrecer, mas quando chegou para a consulta, passou metade da sessão se autoflagelando. "Estou me entupindo de sorvete", "Estou me entupindo de bolo de chocolate". Quando você desdenha de si mesmo, não consegue mudar. Mas se diz "Hoje não vou adoçar meu cappuccino", então está *fazendo* algo a respeito. É assim que o crescimento, o aprendizado e a cura acontecem – pelo que você faz, pouco a pouco, em seu benefício.

Às vezes, mudanças aparentemente banais podem causar um grande impacto.

Michelle, que sofreu de anorexia durante anos, sempre evitou rosquinhas doces. Ela teve pavor das rosquinhas a vida inteira, pois acreditava que, se comesse uma, devoraria o pacote todo. Temia que uma mordidinha a levasse a engordar de imediato. Tinha medo de perder o controle. Tinha medo de que, caso se permitisse experimentar o prazer, caso se atrevesse a ir em frente, seria um fracasso.

Ela sabia que estaria aprisionada enquanto tivesse medo de um doce tradicional. Uma manhã ela criou coragem, entrou numa padaria – até a sineta na porta de entrada e o cheiro de açúcar a faziam transpirar – comprou duas rosquinhas e as levou para a sessão de terapia. Num lugar de apoio, com a ajuda da terapeuta para compartilhar a experiência, Michelle se permitiu sentir medo e todas as ansiedades profundas sobre sua autoimagem e autoestima, sobre sua perda de controle. Então Michelle se entregou à experiência. Comeu as rosquinhas junto com a terapeuta, sentindo o crocante da cobertura açucarada na língua, a textura macia da massa e a adrenalina do açúcar percorrendo seu corpo. Ela transformou sua ansiedade em emoção.

• • •

Não nascemos com medo. Em algum momento ao longo do caminho, aprendemos a ter medo.

Nunca esquecerei o dia em que Audrey, na época com 10 anos, convidou uma amiga para ir brincar lá em casa. Elas estavam no quarto de Audrey e bem na hora que passei pela porta aberta do quarto com a cesta de roupa suja, uma ambulância cruzou a rua com a sirena ligada, um som que até hoje me assusta. Fiquei espantada ao ver Audrey dar um salto e mergulhar debaixo da cama. Sua amiga achou que fosse uma brincadeira. Não sei a razão, mas é provável que por perceber que o som da sirene me assustava, minha filha aprendeu a ter medo. Ela internalizou o meu medo.

Não nascemos com medo. Em algum momento ao longo do caminho, aprendemos a ter medo.

Muitas vezes as respostas emocionais que se enraízam em nós nem sequer são nossas, mas as aprendemos observando os outros. Portanto, você pode perguntar a si mesmo: "Esse medo é meu? Ou será de outra pessoa?" Se perceber que o medo pertence à sua mãe, a seu pai, avô ou marido, não precisa mais carregá-lo. Simplesmente dispense-o. Liberte-se de suas garras. Esqueça que ele existe.

Depois, prepare uma lista com os medos que restam.

É assim que você começa a enfrentar seus medos em vez de resistir ou de fugir deles, ou mesmo de tomar remédios para esquecê-los.

Fiz este exercício do medo com a paciente Alison, a cantora profissional que estava passando por um momento difícil na fase pós-divórcio, inclusive alguns problemas físicos, como um tremor vocal e dor nas costas, que a impediam de se apresentar. A lista de medos dela incluía:

Ficar sozinha
Perder a renda
Ficar pobre, possivelmente sem lugar para morar.
Ficar doente e não ter ninguém para me ajudar.
Ser rejeitada pelas outras pessoas.

Pedi que Alison relesse a lista e decidisse quão realista era cada medo. Se o medo fosse real – uma preocupação válida considerando os fatos de sua vida –, ela deveria fazer um círculo ao seu redor e colocar a letra R ao lado. Se ele fosse irreal, deveria ser riscado da lista. Ela descobriu que dois medos eram irreais. Com renda proveniente de *royalties* e de economias para a aposentadoria, ela tinha uma rede de segurança. Mesmo que perdesse sua renda, o que era possível devido ao cancelamento das turnês, dificilmente perderia a casa e acabaria na rua. Alison riscou *Ficar pobre, possivelmente sem lugar para morar.* Também riscou *Ser rejeitada pelas outras pessoas.* Os acontecimentos em sua vida mostraram uma verdade diferente – que ela era uma artista admirada, uma amiga querida. Mais importante, Alison percebeu que não dependia dela ser aceita ou não pelas outras pessoas. Ela estava aprendendo a se amar. O que os outros pensavam a seu respeito era problema deles.

Os três medos remanescentes receberam a letra R: *Ficar sozinha, Perder a renda* e *Ficar doente e não ter ninguém para me ajudar.*

Pedi a Alison que elaborasse uma lista de coisas que ela poderia fazer hoje em seu próprio benefício para se proteger e construir a vida que quisesse. Se estivesse com medo de ficar sozinha e quisesse ter um novo namorado, ela poderia se cadastrar num aplicativo de encontros, passar um dia paquerando estranhos (nunca se sabe quem vamos conhecer!), participar de uma reunião do Codependentes Anônimos para começar um novo relacionamento de maneira mais saudável do que quando esteve casada. Para enfrentar o medo de adoecer sem ter alguém para cuidar dela, a saída seria fazer uma pesquisa. Quais clínicas de saúde existem na área? Quanto custam? São credenciadas pelo seu plano de saúde? E assim por diante. Não se trata de fazer os medos desaparecem, mas de não se deixar dominar por eles. A ideia é convidar as outras vozes na sala para uma conversa e então *agir*. Assumir o comando. Pedir ajuda.

Às vezes, quando nos sentimos presos, não é que não saibamos o que fazer. Temos é medo de não agir suficientemente bem. Temos autocrítica. E padrões elevados. Queremos a aprovação dos outros, principalmente a nossa, e achamos que é possível conquistar esse reconhecimento agindo como o Super-homem ou a Mulher Maravilha. Mas se você for do tipo perfeccionista, vai procrastinar, porque perfeição significa nunca.

Outra maneira de encarar essa questão é pensar que se você for do tipo perfeccionista estará competindo com Deus. Mas como você é humano, vai errar. Não tente vencer Deus porque Deus sempre ganha.

Não é preciso coragem para lutar pela perfeição. É preciso coragem para ser mediano. Para dizer "Estou bem comigo" ou "Feito é melhor do que perfeito".

Às vezes, nossos medos são dolorosamente realistas e nossos recursos para enfrentá-los, limitados.

Foi o caso de Lauren, mãe de duas crianças pequenas, diagnosticada com câncer aos 40 e poucos anos. Sua doença foi sua própria prisão. Seus medos sobre o futuro, sobre morrer, sobre seus filhos crescerem sem ela se tornaram uma segunda prisão.

Um dia, Lauren me disse que o que mais a assustava era morrer sem ter realmente vivido. Ela se sentia presa em um casamento emocional e fisicamente abusivo, sonhava em proteger os filhos e se livrar da violência e do controle do marido, mas parecia impossível sair daquele cenário. O câncer a deixara vulnerável em termos físicos e financeiros, agravando uma situação já penosa. A separação parecia um risco grande demais.

Há uma diferença entre estresse e angústia.
A angústia é uma incerteza e uma ameaça constante.
O estresse, por outro lado, pode ser uma coisa boa.

Analisemos a diferença entre estresse e angústia. A angústia é uma incerteza e uma ameaça constante. Em Auschwitz, por exemplo, quando tomávamos banho nunca sabíamos o que sairia do cano: água ou gás. A angústia é mortal. Ela pode significar nunca saber quando uma bomba cairá em sua casa, ou onde você dormirá aquela noite. O estresse, por outro lado, nos obriga a enfrentar um desafio, descobrir soluções criativas, confiar em nós mesmos.

É tão desafiador e perigoso romper o ciclo de abuso que a maioria das mulheres volta várias vezes para seu agressor antes de se libertarem, se é que um dia conseguem. Com certeza seria desafiador para Lauren também. Como mãe solteira ela provavelmente teria dificuldades, devido à limitação financeira, para alimentar os filhos, administrar a casa e seguir com seu tratamento de saúde. No entanto, não continuaria vivendo todos os dias sob a ameaça de violência. Não estaria mais angustiada.

Ainda assim, a separação a obrigaria a trocar uma realidade conhecida por uma incógnita. Isso é o que em geral nos impede de correr riscos. Preferimos ficar com o que conhecemos, por mais doloroso ou insustentável que seja, do que enfrentar o desconhecido.

Quando você se arrisca, *não sabe* como as coisas serão. É possível que não consiga o que deseja, ou que as coisas piorem. Ainda assim, você estaria em melhor situação porque viveria no mundo como ele é, não numa realidade imaginária criada por seu medo.

Lauren decidiu se separar do marido.

– Não sei quanto tempo ainda tenho, mas não vou passar o resto da vida ouvindo que sou uma inútil – afirmou ela.

Quando vejo pacientes perdidos, andando em círculos num incontrolável comportamento autodestrutivo, eu os confronto.

– Por que você está escolhendo uma vida autodestrutiva? Você quer morrer?

Eles dizem:

– Sim, às vezes quero.

Essa é uma questão humana séria: *Ser ou não ser?*

Espero que você sempre escolha ser. Você vai morrer de qualquer forma algum dia, e ficará morto por um tempo muito longo. Por que não ter curiosidade? Por que não ver o que essa vida tem para lhe oferecer?

Curiosidade é fundamental. É o que nos permite arriscar. Quando temos medo, vivemos num passado que já aconteceu ou num futuro que não chegou. Quando somos curiosos, estamos aqui, presentes, ávidos por descobrir o que vai acontecer a seguir. É melhor arriscar e evoluir, e talvez fracassar, do que continuarmos paralisados sem nunca ter a chance de saber o que poderia ter sido.

ESTRATÉGIAS PARA SE LIBERTAR DO MEDO PARALISANTE

- **Eu consigo. Eu quero. Estou disposto.** Por um dia registre toda vez que você disser *Não consigo, Preciso, Devia e Estou tentando.* "Não consigo" significa negação. "Preciso" e "Devia" significam que você está abdicando de sua liberdade de escolha. E "Estou tentando" é uma mentira. Elimine essas expressões de seu vocabulário. Você não pode desistir de algo se não substituir por outra coisa. Troque a linguagem do medo por: *Eu consigo, Eu quero, Estou disposto, Eu escolho, Eu sou.*

- **Mudança é sinônimo de crescimento.** Faça uma coisa diferente todo dia. Se você sempre seguiu o mesmo caminho para o trabalho, tome uma rota alternativa – ou vá de bicicleta ou de ônibus. Se você em geral está muito apressado ou preocupado para conversar com o caixa do mercado, tente manter contato visual e trocar algumas palavras com ele. Se sua família raramente faz as refeições junta porque todos são muito ocupados, experimente sentar todo mundo junto para comer sem a TV ligada ou os celulares à mesa. Esses pequenos passos podem parecer irrelevantes, mas, na realidade, eles treinam o seu cérebro para saber que você é capaz de mudar, que nada é imutável e que as opções e possibilidades são infinitas. Ter curiosidade pela vida ajuda a transformar sua ansiedade em animação. Você não precisa ficar onde está, do jeito que está, fazendo o que está fazendo. Misture as coisas. Você não está preso a nada.

- **Identifique seus medos.** Elabore uma lista com seus medos. Para cada medo, pergunte: "Esse medo é meu? Ou é de outra pessoa?" Se é um medo que você herdou ou assumiu, tire-o da lista. Esqueça-o. Ele não lhe pertence. Para cada medo remanescente, reflita sobre quanto ele é realista. Se ele representa uma preocupação válida, considerando os fatos de sua vida, circule-o. Para cada medo real, decida se ele lhe provoca angústia ou estresse. A angústia é um perigo crônico e uma incerteza. Se você corre algum perigo, sua responsabilidade mais importante é cuidar de suas necessidades de segurança e de sobrevivência. Faça tudo o que estiver ao seu alcance para se proteger. Mas se o medo estiver lhe causando estresse, saiba que o estresse pode ser benéfico. Perceba como o estresse pode lhe proporcionar uma oportunidade de crescer. Por fim, para cada um dos medos reais, elabore uma lista de coisas que você poderia fazer hoje em seu próprio benefício para se fortalecer e construir a vida que você quer.

CAPÍTULO 10

O NAZISTA EM VOCÊ

A prisão do julgamento

Quando Audrey e eu estávamos em Lausanne, na Suíça, no ano passado, fiz uma palestra para um grupo inspirador de executivos e coaches de liderança no Instituto Internacional de Desenvolvimento de Gestão, uma das melhores escolas de negócios da Europa. No jantar, depois da palestra, os participantes me surpreenderam com seus cordiais brindes de agradecimento e reconhecimento. Um homem em particular me impressionou. Alto, o cabelo ondulado começando a ficar grisalho, o rosto magro marcado pela tristeza e o olhar inteligente, ele disse que as minhas palavras sobre o perdão lhe soaram como uma dádiva. Já com o rosto coberto de lágrimas, comentou: "Eu também tenho uma história. É muito difícil falar disso."

Audrey percebeu meu olhar. Algo se passou entre mim e aquele homem, talvez o reconhecimento silencioso dos efeitos colaterais do trauma, a dor que se perpetua quando um segredo é guardado. Assim que o jantar terminou, Audrey pediu licença e se embrenhou na multidão até a mesa do tal homem. Quando voltou, ela disse: "Ele se chama Andreas e você com certeza precisa ouvir a história dele."

Nossa agenda estava lotada, mas Audrey conseguiu marcar um almoço com Andreas no dia seguinte, antes de embarcarmos de volta para casa. Com um jeito tranquilo e atencioso, ele apresentou parte de sua história pessoal, peças de um quebra-cabeça que montou ao longo do tempo.

Na primeira peça do quebra-cabeça, ele tem 9 anos e está com seu pai numa exposição numa pequena cidade nos arredores de Frankfurt. "Filho, esta é a lista de todos os prefeitos desta cidade", afirma seu pai e aponta para um nome: Hermann Neumann. Hermann é o nome do meio de Andreas. O dedo do pai indica o nome e seu tom de voz peculiar, que mistura tristeza, raiva, saudade e orgulho, afirma: "Este é seu avô."

O avô de Andreas morreu uma década antes de ele nascer. Andreas não tinha qualquer referência pessoal dele, nenhuma ideia do tipo de homem que ele foi, qual teria sido a sensação de se sentar em seu colo ou de escutar uma história contada pelo avô. Ninguém nunca havia falado de seu avô. Na verdade, pairava um silêncio pesado sobre a figura do patriarca da família. Andreas pressentia que esse avô ausente tinha algo a ver com a melancolia que se infiltrava nos olhos de seu pai e de seus tios. Ele era jovem demais para entender que só havia uma maneira de alguém ser indicado para um cargo administrativo na Alemanha entre os anos de 1933 a 1945.

Outros nove anos se passaram até que a próxima peça do quebra--cabeça se materializasse. Andreas acabara de voltar para a Alemanha depois de um ano de intercâmbio no Chile. Seu tio, depois de anos lutando contra o alcoolismo, havia morrido, e Andreas foi ao apartamento dele para liberar o espaço de armazenamento do porão. Depois de deixar seus olhos se ajustarem à luz fraca do porão, começou a verificar as prateleiras cheias de livros e objetos, tentando calcular quanto tempo levaria para terminar. Um baú de madeira com uma etiqueta chamou sua atenção. A etiqueta lhe lembrava algo que ele não conseguia identificar. Ao se aproximar, viu que era uma etiqueta da alfândega de Arica, no Chile, datada de 1931 e com o nome de seu avô. Por que ninguém da família mencionou, quando Andreas partiu para o Chile, que seu avô também tinha ido para lá? E por que encontrar aquele baú o deixava tão incomodado?

Ele pediu informações aos pais sobre o achado. O pai deu de ombros e saiu da sala. A mãe foi vaga em sua explicação. "Acho que ele estava envolvido com alguma coisa e ficou por lá alguns meses", disse ela. No início dos anos 1930, a Alemanha passava por uma devastadora crise econômica. Talvez seu avô tivesse procurado uma oportunidade no exterior nesse período difícil, como outros jovens alemães. Andreas se convenceu de que isso era verdade e se esforçou para ignorar a sensação incômoda de que havia mais coisas por trás dessa história.

Passados alguns anos, Andreas pediu permissão a outro tio para pesquisar antigos documentos da família e objetos armazenados em sua casa. Seu instinto avisou que poderia encontrar algo no passado de seu avô que explicaria o mal-estar comum a gerações de sua família – a luta do pai e dos tios contra o consumo de álcool, o comportamento fechado e sombrio deles que Andreas sentia ter a ver com o sentimento de vergonha.

Ele passou dias lendo e vasculhando os itens e, aos poucos, surgiram mais peças do quebra-cabeça. O antigo passaporte do avô, carimbado pela imigração no Chile, mostrava que ele tinha entrado no país em 1930 e saído em 1931. Um telegrama enviado em 1942 para o emprego do avô em Frankfurt, onde ele trabalhou como auxiliar de escritório para um dos grandes conglomerados industriais, perguntava: *Você retirou todas as bicicletas e pertences da casa em Frankfurt?* Uma mensagem estranha.

Então Andreas leu o endereço de remetente. Seu tio-avô havia enviado a mensagem para seu avô da sede da Gestapo em Marselha. Como seu tio-avô tinha acesso a um telégrafo dos nazistas? Por que seu avô recebeu uma mensagem pessoal do escritório da Gestapo? Quão profunda era a ligação de sua família com os nazistas?

Ele continuou pesquisando os documentos e encontrou uma carta de um amigo da família informando que seu tio-avô havia morrido durante a guerra numa missão de retirada na França, quando seu carro foi atingido por uma mina. Nenhum objeto pessoal ou etiquetas de identificação foram recuperados da explosão. Também encontrou cartas de seu avô para sua avó escritas de um campo de prisioneiros de guerra no sul da Alemanha, depois da guerra. Que acusações, justificadas ou não, levaram seu avô à prisão?

Andreas continuou pesquisando, mas só se deparava com becos sem saída. Apesar da prisão de seu avô, parecia não haver nenhuma prova de um julgamento ou investigação sobre quaisquer atos criminosos. Num último esforço para preencher os espaços em branco de seu passado familiar, Andreas entrou em contato com o departamento de arquivos do estado onde seus avós moraram após a guerra. Por fim, ele recebeu uma pasta não muito recheada. Havia apenas algumas folhas de papel dentro, incluindo uma cronologia que ocupava a metade da página.

Em 1927, aos 20 anos de idade, seu avô se juntou à SA, o Sturmabteilung, o primeiro grupo paramilitar do Partido Nazista criado para perseguir judeus, jogando pedras nas vitrines e colocando fogo em quarteirões das cidades, criando o clima de medo e violência que contribuiu para a ascensão de Hitler ao poder. Ele saiu da SA em 1930, ano em que foi ao Chile, e voltou poucos meses depois à Alemanha. Juntou-se novamente à SA e subiu na hierarquia, sendo promovido a líder de esquadrão e tornando-se membro do Partido Nazista. Essas decisões em 1933 facilitaram seu trabalho no escritório de administração financeira em Frankfurt e possibilitaram seu mandato de prefeito na vila onde o pai de Andreas havia mostrado seu nome – Hermann Neumann, as quatro sílabas que denotavam o legado sombrio que ele herdara.

– Eu compartilho o nome dele – disse Andreas. – Minhas células provêm de suas células. De uma forma visceral, sou resultado, um produto do que aconteceu.

Ele se sentia como se sua identidade estivesse contaminada.

E a história parecia estar se repetindo. Ao mesmo tempo que soube da verdade sobre seu avô, o movimento de extrema-direita ressurgia numa Alemanha Oriental economicamente devastada.

– Vejo fotos de pessoas perseguindo imigrantes em Chemnitz e sei que meu avô fez a mesma coisa – comentou.

Andreas mudou oficialmente seu nome do meio de Hermann para Phileas, em homenagem ao personagem Phileas Fogg de *A volta ao mundo em 80 dias*, de Júlio Verne, um livro que, na infância, despertou sua curiosidade sobre o mundo. A mudança de nome foi um ato para se distanciar de seu avô, cortar a conexão pessoal com os erros dele e afirmar: "Sim, sou neto de Hermann e não preciso ter o mesmo nome que ele."

Andreas comentou que ainda está tentando se libertar do peso do passado, da implacável vergonha de ter o mesmo sangue de um agressor e da consciência de que sua própria vida é o resultado dos benefícios que seu avô obteve ao ferir os outros – enfim, da injustiça. É uma culpa coletiva que muitos alemães infelizmente carregam. Se você é alemão, ou hutu, ou descendente daqueles que impuseram o *apartheid*, praticaram o genocídio ou outro caso de violência e injustiça sistêmica, estou avisando: não foi você. Atribua a culpa aos criminosos e então decida.

– Por quanto tempo você vai continuar assumindo essa culpa? – perguntei a Andreas. – Qual é o legado que *você* quer deixar?

Você quer ficar preso ao passado? Ou quer encontrar uma maneira de se libertar disso, assim como os seus entes queridos?

Até nossa viagem à Europa eu não tinha ideia de quão difícil era essa questão para minha própria filha.

Nem Audrey nem eu nos recordamos de conversar sobre o meu passado durante sua infância. Ela soube do Holocausto na escola dominical e pediu mais informações a Béla. Ele contou que eu estivera em Auschwitz. Algo despertou dentro dela. Audrey sentia que havia coisas sobre as quais não falávamos, e sabia que provocavam sofrimento. Ainda assim, não sabia como abordar o assunto, ou talvez de alguma maneira ela não quisesse conhecer aqueles fatos. Por isso, a verdade permaneceu escondida.

Agora as coisas estavam claras. Quando comecei a falar mais abertamente em público sobre meu passado, Audrey não sabia como lidar com os sentimentos que minha história despertara nela. Ela se perguntava quanto de meu sofrimento, e o de Béla também, teria sido transferido para seu DNA, além de temer passar o peso do trauma para seus próprios filhos. Durante anos ela evitou ler livros, ver filmes, ir a museus e eventos que tratassem do Holocausto.

Quando herdamos um legado difícil, em geral reagimos de duas maneiras: resistimos ou nos dissociamos daquilo. Ou seja, enfrentamos ou fugimos. Embora em dois lados opostos da mesma tragédia, Andreas e Audrey trilhavam o mesmo caminho: fazendo um acerto de contas com uma verdade brutal, descobrindo como aceitá-la e seguir adiante.

Acabar com a intolerância significa começar consigo mesmo. Você deixa de julgar e escolhe a compaixão.

Além de me manter em silêncio, num esforço para proteger meus filhos da minha dor, eu não havia refletido sobre o impacto mais amplo desse meu legado até o início dos anos 1980, quando recebi um paciente por ordem judicial. O adolescente de 14 anos, usando camisa e botas marrons, logo encostou o cotovelo na mesa e começou a discursar sobre como tornar a América branca novamente e matar todos os judeus, negros, mexicanos e orientais. Fiquei furiosa. Minha vontade era segurá-lo pelos ombros, sacudi-lo e dizer: "Como você se atreve a falar assim? Você sabe quem eu sou? Minha mãe morreu em uma câmara de gás." Prestes a estender os braços para começar a estrangular o rapaz, ouvi uma voz interna: "Descubra a intolerância em você."

Impossível, pensei. Não sou intolerante. Sou sobrevivente do Holocausto e imigrante. Perdi meus pais para o ódio. Usei o banheiro para "pessoas de cor" na fábrica em Baltimore, em solidariedade a meus colegas afro-americanos. Participei de passeatas pelos direitos civis com o Dr. Martin Luther King Jr. Não sou intolerante!

Mas acabar com a intolerância significa começar consigo mesmo. Você deixa de julgar e escolhe a compaixão.

Respirei fundo, me aproximei, olhei nos olhos dele com o máximo de bondade que pude reunir e disse: "Fale mais."

Foi um pequeno gesto de aceitação, não da ideologia dele, mas de sua personalidade. E foi o suficiente para ele falar um pouco de sua infância solitária, da severa negligência de seus pais ausentes. Ouvir sua história me lembrou de que ele não tinha se unido a um grupo extremista porque havia nascido com ódio. Ele estava buscando o que todos queremos: aceitação, atenção, afeição. Não que isso servisse de desculpa, mas atacá-lo só alimentaria as sementes da desvalorização que sua criação havia plantado. Eu tinha a opção de afastá-lo ainda mais ou de oferecer outra versão de acolhimento e de pertencimento.

Nunca mais o encontrei. Não sei se ele continuou no caminho do preconceito, do crime e da violência ou se conseguiu se tratar e mudar de vida. O que sei é que ele chegou pronto para matar alguém como eu e saiu num estado de espírito mais cordato.

Mesmo um nazista pode ser um mensageiro de Deus. Aquele rapaz foi meu professor, pois me guiou até a escolha que sempre existe para mim de substituir o julgamento pela compaixão, de reconhecer a humanidade que temos em comum e de praticar o amor.

Em todo o mundo, o renascimento do fascismo se anuncia. Meus bisnetos herdam um mundo ainda tomado pelo preconceito e pelo ódio, onde as crianças gritam palavras racistas no playground e carregam armas para a escola, onde nações constroem muros para negar asilo a outros humanos. Neste estado de medo e vulnerabilidade, é tentador odiar quem odeia. No entanto, sinto pena de pessoas que são ensinadas a odiar.

Eu me identifico com elas. E se eu tivesse nascido uma alemã cristã em vez de uma judia húngara? E se tivesse ouvido Hitler proclamar "Hoje, Alemanha, amanhã, o mundo"? Eu também poderia ter sido membro da juventude hitlerista, ou guarda em Ravensbrück.

Nem todo mundo é descendente de nazistas, mas cada um de nós tem um nazista dentro de si.

Ser livre significa escolher, a cada momento, se acionamos nosso nazista ou nosso Gandhi interior. Se escolhemos o amor com o qual nascemos ou o ódio que aprendemos a sentir.

O nazista interior é a parte de cada um que tem a capacidade de julgar e de recusar a compaixão, que nega a permissão para ser livre e faz dos outros suas vítimas quando as coisas não saem do seu jeito.

Ainda estou aprendendo a me libertar do meu nazista interior.

Almocei outro dia num clube chique com mulheres milionárias. *Por que estou passando uma tarde com mulheres parecidas com bonecas Barbie?*, pensei. Mas logo percebi que estava julgando as pessoas, adotando a mesma mentalidade do "nós contra eles" que matou meus pais. Ao deixar de lado o preconceito, descobri que as mulheres eram pessoas ponderadas, que tinham sua cota de dificuldades e sofrimentos. E eu estava pronta para rejeitá-las de imediato.

Outra noite, numa palestra em Chabad, um colega sobrevivente estava na plateia. No tempo dedicado a perguntas e respostas, após meu discurso, ele perguntou, "Por que você se conformou tão facilmente em Auschwitz? Por que não se rebelou?" A voz dele se elevou ao fazer a pergunta. Comecei a explicar que se eu tentasse enfrentar o guarda, seria morta imediatamente. A revolta não me libertaria. Eu teria perdido o resto da minha vida. Percebi então que eu estava tentando defender minhas escolhas do passado numa reação à agitação dele. E sobre o presente momento? Talvez aquela fosse a única oportunidade em minha vida para oferecer compaixão àquele homem. "Obrigada por estar aqui", agradeci. "Obrigada por compartilhar sua experiência."

Quando vivemos na prisão do julgamento, não vitimizamos apenas os outros. Nós nos vitimizamos também.

Alex estava numa jornada de autocompaixão quando nos conhecemos. Ela me mostrou a tatuagem no braço com a palavra raiva e, mais abaixo, amor.

– Foi assim que eu fui criada – contou ela. – Meu pai era a raiva, minha mãe, o amor.

O pai, um policial, criou Alex e o irmão num ambiente de *não faça drama, não seja um peso, não demonstre suas emoções, aja como se estivesse bem, erros não são permitidos.* Às vezes ele chegava do trabalho irritado, e Alex logo aprendeu que era melhor ir para o seu quarto quando começavam as explosões de raiva do pai.

– Sempre pensei que era minha culpa – comentou ela. – Não sabia o que o chateava tanto. Ninguém nunca me disse: "Você não tem culpa, não fez nada de errado." Cresci achando que *eu* o deixava zangado, que havia algo errado comigo.

A sensação de culpa e de crítica foi tão internalizada que, já adulta, ela sentia medo de pedir à vendedora do mercado que pegasse um produto da prateleira mais alta.

– Tinha certeza que as pessoas pensariam: "Que idiota!"

O álcool forneceu um alívio temporário para suas inibições, preocupações e medo. Até que ela acabou numa clínica de reabilitação.

Quando conversei com Alex, ela estava sóbria havia treze anos e tinha deixado recentemente o extenuante emprego de atendente de emergência, em que trabalhou por mais de vinte anos, sempre num difícil equilíbrio entre as necessidades do serviço e de sua filha com necessidades especiais. Este é um desafio novo em sua vida: responder a si mesma com bondade.

Mas Alex sente que esse desafio é frustrado sempre que está com a família. Sua mãe encarna o acolhimento, a segurança e o amor, funcionando como a apaziguadora, sempre disposta a se ajustar às situações, abrindo mão de tudo para atender filhos e netos, transformando qualquer jantar numa ocasião especial; já seu pai é uma pessoa raivosa e prestes a explodir. Alex o observa com atenção, interpretando seu comportamento para conseguir se proteger dele a tempo.

Numa viagem recente para acampar com a família, Alex percebeu que seu pai não parava de fazer comentários negativos sobre as outras pessoas.

– Quando as pessoas da barraca ao lado da nossa começaram a arrumar as coisas para ir embora, meu pai disse: "Esta é a minha parte favorita, observar os idiotas tentando descobrir o que estavam fazendo." Foi assim que eu cresci. Com meu pai comentando e rindo quando as pessoas cometiam erros. Não é à toa que eu achava que todos pensavam coisas horríveis de mim. Por essa mesma razão eu ficava atenta a qualquer careta ou sinal de contrariedade, qualquer coisa que me ajudasse a evitar que meu pai se zangasse. Passei a vida com medo dele.

– A pessoa mais detestável é o seu melhor professor – disse a Alex. – Ela ensina a perceber em você o que você não gosta nela. Então, quanto tempo você gasta para julgar a si mesma? Tendo medo de si mesma?

Analisamos a forma como *ela havia se fechado*. A aula de espanhol que ela queria iniciar, mas não ousava se inscrever, a academia de ginástica que ela tinha medo de fazer.

Somos todos vítimas de vítimas. Até onde você quer ir nessa busca pela origem de tudo? É melhor começar com você mesmo.

Alguns meses depois, Alex contou que tinha criado coragem e trabalhado sua autoaceitação. Ela conseguiu se inscrever no curso de espanhol e na academia de ginástica.

– Fui recebida de braços abertos – comentou ela. – Até me inscreveram para competir com a equipe de levantamento de peso feminina.

Quando abandonamos nosso nazista interior, desmobilizamos as forças internas e externas que nos atrapalham.

– Metade de você é o seu pai – contei a Alex. – Projete uma luz branca na direção dele. Envolva-o na luz branca.

Aprendi isso em Auschwitz. Se tentasse enfrentar, seria morta. Se tentasse fugir, encostaria no arame farpado e seria eletrocutada. Então, transformei meu ódio em piedade. Escolhi sentir pena dos guardas. Eles foram alvo de lavagem cerebral. Tiveram sua inocência roubada. Eles foram a Auschwitz para jogar crianças na câmara de gás pensando que estavam livrando o mundo de um câncer. Eles perderam sua liberdade. Eu ainda tenho a minha.

Meses após a visita a Lausanne, Audrey voltou ao Instituto Internacional de Desenvolvimento de Gestão para dar uma palestra com Andreas no programa de Liderança de Alto Desempenho.

– Nós crescemos em lados opostos da linha de transmissão de segredos e horror – disse Andreas.

Agora, estão colaborando para ajudar os líderes empresariais atuais a se concentrarem na cura interior, para enfrentar o passado e definir o caminho em direção a uma realidade melhor.

Entre os alunos estão europeus, basicamente da Alemanha e de países vizinhos, na faixa dos 30, 40 e 50 anos, uma ou duas gerações depois da Segunda Guerra Mundial, curiosos sobre o papel de suas famílias na guerra. Outros alunos, que vêm da África e do sudeste da Europa, de países devastados pela violência, tentam descobrir como enfrentar e se libertar das tragédias que suas famílias sofreram ou infligiram aos outros. Esse curso sobre cura interior ministrado pela filha de uma sobrevivente e pelo neto de um nazista é um lindo exemplo não apenas de *como* se curar, mas também de *por que* se curar. Por nós e pelo que nossa cura oferece ao mundo. Pelo novo legado que deixamos.

– Antes eu silenciava sobre o passado, pois tinha medo de sofrer – explicou Audrey.

Mas ela percebeu que, ao evitar aprender mais, estava se apegando ao sofrimento.

– Agora prefiro ter curiosidade. Quero ajudar.

Andreas concordou.

– Finalmente compreendi por que investi tanto tempo no passado – disse ele. – Acho que meus antepassados gostariam que fossem tomadas medidas corretivas, dentro das possibilidades existentes. Ao entender isso, fiquei muito mais tranquilo em relação a esses antepassados. Sinto que posso parar de questionar por que eles fizeram o que fizeram e me concentrar no que faço agora para contribuir para a paz.

Nascemos para amar e aprendemos a odiar. Depende de nós aquilo que queremos alcançar.

ESTRATÉGIAS PARA SE LIBERTAR DO JULGAMENTO

- **Nossos melhores professores.** As pessoas mais tóxicas e detestáveis podem ser nossos melhores professores. Na próxima vez que você estiver na presença de alguém que o irrita e ofende, baixe os olhos e diga para si mesmo: "Ele é um ser humano, nem mais, nem menos. Humano como eu." Depois, pergunte: "O que você tem para me ensinar?"

- **Nascemos para amar; aprendemos a odiar.** Prepare uma lista com as mensagens que ouviu ao longo da vida que dividiam as pessoas em categorias: nós/eles; bom/ruim; certo/errado. Faça um círculo em toda mensagem que descreva como você vê o mundo hoje. Observe o que você talvez esteja insistindo em julgar. Como esse julgamento afeta seus relacionamentos? Ele limita suas escolhas ou sua capacidade de assumir riscos?

- **Qual é o legado que você quer passar adiante?** Não podemos escolher o que nossos antepassados fizeram ou o que foi feito a eles. Mas podemos criar um legado a transmitir. Escreva a receita para uma vida realizada. Pegue as coisas boas do passado de sua família e acrescente seus próprios ingredientes. Deixe algo delicioso e nutritivo como base para a próxima geração.

CAPÍTULO 11

SE EU SOBREVIVER HOJE, AMANHÃ SEREI LIVRE

A prisão da desesperança

Em Auschwitz, eu tinha uma ideia fixa: será que alguém sabe que Magda e eu estamos aqui?

Qualquer resposta apontava para a desesperança. Se as pessoas sabiam e não intervinham, então qual era o valor da minha vida? E se ninguém sabia, como é que algum dia sairíamos dali?

Quando o desespero tomava conta de mim, eu pensava no que minha mãe me disse no escuro daquele vagão de carga a caminho da prisão: "Não sabemos para onde estamos indo. Não sabemos o que vai acontecer. Só não se esqueça de que ninguém pode tirar de você o que você colocar na sua mente."

Nos infindáveis e terríveis dias e noites que passei na prisão, escolhi o que se passava na minha mente. Pensava em meu namorado Eric, em como nosso romance floresceu em plena guerra, em nossos piqueniques à beira do rio, na deliciosa salada de batata e frango frito que minha mãe preparava, nos planos para nosso futuro. Também me imaginava dançando com ele, usando o vestido que meu pai tinha feito pouco antes de sermos forçados a sair de casa. Lembrava de como experimentei o vestido para ter certeza de que conseguiria dançar com ele e garantir que a saia ia girar. Imaginava as mãos de Eric apoiadas no fino cinto de camurça que marcava minha cintura e pensava nas últimas palavras que ele havia me dito ao se despedir de mim na saída da fábrica de tijolos: "Nunca esquecerei seus olhos. Nunca esquecerei suas mãos." Eu visualizava nosso reencontro, como nos abraçaríamos, loucos de alegria e alívio. Para mim, esses pensamentos eram como uma vela que eu segurava nas horas mais escuras. Não é que sonhar acordada com Eric apagasse o horror. Ou trouxesse meus pais de volta, ou diminuísse a dor pela morte deles ou pela iminência da minha própria morte. Mas pensar nele me ajudava a ver além de onde eu estava, a imaginar um amanhã que incluísse o meu amado e a manter em perspectiva a fome e a tortura. Eu estava vivendo o inferno na terra, e ele era temporário. E se ele era temporário, podia ser superado.

A esperança é de fato uma questão de vida ou morte. Conheci uma jovem mulher em Auschwitz que garantia que o campo seria libertado até o Natal. Ela tinha percebido que a chegada de novos grupos diminuíra, ouviu rumores de que os alemães enfrentavam grandes derrotas militares e se convenceu de que faltava pouco para sermos libertadas. Mas o Natal chegou e ninguém libertou o campo. No dia seguinte, ela morreu. A esperança a mantivera viva. Quando a esperança morreu, ela morreu junto.

Relembrei essa história mais de setenta anos depois, num hospital em La Jolla, poucos meses depois do lançamento de meu primeiro livro, *A bailarina de Auschwitz*. Durante décadas sonhei em um dia escrever a minha história de cura e encorajar o maior número possível de pessoas em todo o mundo a embarcar e continuar a viagem em direção à liberdade. Muitas coisas incríveis e reconfortantes aconteceram. Recebi todos os dias cartas comoventes de leitores, convites para dar palestras e entrevistas para a mídia internacional.

Num dia emocionante, Deepak Chopra me convidou para participar de um evento ao vivo no Facebook que ele estaria promovendo no Chopra Center, em Carlsbad. Fiquei animadíssima. Como a manutenção física toma muito tempo na minha idade, comecei a me preparar com antecedência. Reservei hora com o cabeleireiro e o maquiador para cuidar do meu visual, escolhi o melhor terno de grife que tinha e o deixei bem engomado no cabide. Também tentei ignorar as fisgadas que sentia no estômago, dores fortes que gritavam por atenção como as cólicas de fome que eu sentia em Auschwitz. "Deixe-me em paz", falei para o meu estômago enquanto finalizava a maquiagem. "Agora estou ocupada."

Acordei cedo na manhã do evento e me vesti com cuidado. Ao conferir no espelho enquanto ajustava o blazer, imaginei meu pai me observando. "Olhe para mim agora", disse a ele, sorrindo.

Mas quando uma amiga veio me buscar para me levar ao Chopra Center, me encontrou curvada de dor provocada por outra sequência de cólicas fortíssimas.

– Não vou te levar para o evento, mas sim ao hospital – declarou ela.

Eu não quis nem pensar nessa hipótese.

– Fiquei dois dias me arrumando – respondi, trincando os dentes. – Vou para o Chopra Center.

Ela dirigiu até lá o mais rápido que pôde. Ao chegarmos, entrei e mal consegui cumprimentar Deepak e a esposa antes de cair de joelhos no banheiro. Abracei o vaso sanitário, com medo de passar vergonha e sujar o chão, e desmaiei. A próxima coisa de que me lembro é de Deepak segurando os meus braços e me levando de volta para o carro, e dali direto para o hospital, onde os médicos descobriram que parte do meu intestino delgado estava obstruído e tinha que ser removido. Eu precisava ser operada imediatamente. "Se esperasse uma hora a mais, você teria morrido", afirmou o cirurgião.

Quando acordei da anestesia, zonza e atordoada, horas depois da operação, as enfermeiras comentaram que eu fui a paciente mais elegante que elas viram sair da sala de cirurgia. Aparentemente, minha maquiagem ainda estava perfeita.

Eu não me sentia elegante, mas como uma criança indefesa, delirante por causa dos remédios, desorientada e incapaz de me mexer sem ajuda. Precisei apertar um botão para alguém me levar ao banheiro e aguardar, temerosa de que a enfermeira não chegasse a tempo. Eu não me sentia exatamente humana. Parecia que estava reduzida a um conjunto de necessidades básicas, fome, sede e excreções, no caso, sem condições de atendê-las eu mesma.

O pior de tudo é que eu havia sido entubada e não podia falar. Ficar incapacitada *e* sem voz trouxe muitas memórias horríveis. Agarrei o tubo e tentei arrancá-lo. Temendo que eu sufocasse, as enfermeiras amarraram as minhas mãos. Agora eu estava realmente aterrorizada. Minhas reações físicas automáticas, sintomas de TEPT, trouxeram de volta o trauma do meu passado: eu não aguentava ficar confinada. Espaços apertados, qualquer coisa me prendendo me deixava em pânico. Meu coração acelerou perigosamente, se contraindo antes de conseguir se encher de sangue. Amarrada e sem voz num hospital, parecia que continuar a viver era uma proeza e tanto.

Meus três filhos maravilhosos, Marianne, Audrey e John, ficaram a meu lado desde a cirurgia e foram incansáveis para assegurar meu bem-estar, garantindo que a dosagem dos remédios me deixasse o máximo de tempo lúcida, e até mesmo passando meu creme hidratante preferido, da Chanel, em minha pele ressecada. Meus netos me visitaram. Rachel e Audrey trouxeram um quimono confortável. Todos cuidaram de mim, se esforçando ao máximo para me dar dignidade e conforto. Mas eu estava conectada a muitas máquinas. Será que conseguiria voltar ao normal sem elas? Não queria ser mantida respirando se não pudesse viver plenamente. Assim que minhas mãos ficaram livres, gesticulei para Marianne trazer uma folha de papel e uma caneta. *Quero morrer – feliz*, rabisquei.

Marianne garantiu que me deixaria ir quando fosse a hora, e guardou meu bilhete no bolso. Meus filhos pareciam não entender que eu estava pronta para ir *naquele momento*. Mais tarde, Dr. McCaul, pneumologista, apareceu no quarto e disse que eu estava bem. Prometeu tirar o respirador no dia seguinte. Meus filhos sorriram e me beijaram. "Viu, mãe, você vai ficar bem." A tarde se arrastou, todos os monitores e máquinas de apoio apitavam ao meu redor, enquanto eu tentava me convencer de que aquilo era *temporário*. *Posso sobreviver a isso*, disse a mim mesma. Cochilei e acordei mais vezes do que podia contar, passei uma noite interminável aflita, olhando pela janelinha quadrada do quarto do hospital, dormindo e despertando direto até o sol nascer. Ufa, consegui. O tubo seria retirado naquele dia.

É *temporário,* repeti, à espera do Dr. McCaul chegar para retirar o tubo. É temporário. Mas o médico, depois de verificar suas anotações, falou, num suspiro: "Acho que precisamos esperar mais um dia."

Não pude retrucar que eu não tinha outro dia dentro de mim. Sem entender que eu estava prestes a desistir, ele me deu um sorriso tranquilizador e seguiu adiante em sua ronda.

Acordei no meio daquela noite com o corpo todo encolhido, fechado para o mundo. Eu me perguntei se era essa a sensação quando finalmente desistimos, mas então ouvi a minha voz interior: "Você conseguiu em Auschwitz. Pode conseguir mais uma vez." Eu podia escolher. Podia ceder e desistir ou podia escolher a esperança. Uma nova emoção percorreu meu corpo. Senti três gerações – meus filhos, netos e bisnetos – unidas para me resgatar. Pensei em Marianne pulando de alegria ao me visitar no hospital depois que Audrey nasceu, "Eu tenho uma irmã. Eu tenho uma irmã." John, cujas dificuldades na infância me ensinaram que não importa o que aconteça, não podemos desistir nunca. O rosto iluminado de Lindsey quando ela se tornou mãe. A voz suave de meu bisneto Hale me chamando de Gi-Gi Baby. O bebê David levantando a blusa para que eu pudesse beijar seu umbigo e gritando "Me pega, me pega!". Jordan, na adolescência, sendo duro com os amigos, mas pedindo leite quente e mel na hora de dormir. Os lindos olhos de Rachel me olhando naquela manhã enquanto massageava os meus pés. Eu precisava viver porque não queria parar de olhar esses olhos. Senti a dádiva de todos eles, a dádiva da vida. A dor e o cansaço não desapareceram, mas meu corpo e meu coração pareciam vivos, vibrando com a possibilidade e o propósito, com a percepção de que eu ainda tinha muito a fazer pelos outros, de que tinha muitas outras coisas neste planeta que eu queria fazer.

Quando nossa hora chega não tem jeito. Não podemos escolher quando morremos, mas eu já não queria mais morrer. Queria viver.

No dia seguinte, o médico voltou e tirou o tubo. Audrey me ajudou a andar pelo corredor arrastando as bombas de infusão e as máquinas junto conosco. As enfermeiras faziam fila no corredor para me incentivar com assovios, palmas, felizes por me ver fora da cama, determinada a caminhar apesar dos diversos equipamentos que precisava levar comigo. Em uma semana eu estava em casa. Quando fiquei amarrada na cama do hospital e escolhi a esperança, não sabia que em um ano receberia um e-mail da Oprah dizendo que havia lido meu livro e que queria me entrevistar no *SuperSoul Sunday*.

Nunca sabemos o que está por vir. A esperança não é uma máscara que usamos para encobrir nosso sofrimento. É um investimento na curiosidade. É um reconhecimento de que, se desistirmos agora, nunca saberemos o que acontecerá depois.

Escolher a esperança afeta o que atrai
a minha atenção todo dia.

Achei que nada em minha vida superaria minha felicidade ao descobrir que estava grávida pela primeira vez. Meu médico recomendou a interrupção da gravidez, alertando que eu não estava fisicamente forte o suficiente para ter um bebê saudável ou para aguentar o trabalho de parto. Mas eu saí do consultório eufórica, transbordando a alegria de estar trazendo vida ao mundo, depois de tanto sofrimento e mortes que presenciei. Comemorei comendo toneladas de pão de centeio e *spaetzle* de batata crua. Eu sorria para o meu reflexo nas vitrines das lojas. Engordei 22 quilos.

Ganhei e perdi muitas coisas, e quase perdi tudo desde que Marianne nasceu. Isso me ensinou a valorizar o que tenho e a comemorar cada momento precioso sem esperar pela autorização ou aprovação dos outros. Sou constantemente lembrada de que escolher a esperança é escolher a vida.

A esperança não garante nada sobre o que acontecerá no futuro. A escoliose que me acompanha desde a guerra ficou comigo. Ela afeta meu pulmão, empurrando-o cada vez mais para perto do coração. Não sei quando vou acordar com falta de ar ou se terei um ataque cardíaco.

Escolher a esperança, no entanto, afeta o que atrai minha atenção todo dia. Posso pensar como uma jovem. Posso escolher o que fazer para preencher o meu dia com paixão. Posso dançar e lançar a perna o mais alto possível enquanto for capaz. Posso reler livros importantes para mim, ir ao cinema, à ópera e ao teatro, saborear comida e moda de alta qualidade, passar o tempo com pessoas gentis e íntegras e lembrar que a perda e o trauma não nos impedem de viver plenamente.

"Você viu em primeira mão os maiores males do mundo", as pessoas costumam me dizer. "Como consegue manter a esperança quando o genocídio ainda é uma realidade no planeta, quando há tantas provas do mal?"

Perguntar como a esperança é possível diante de realidades terríveis é confundir esperança com idealismo. O idealismo faz a gente esperar que tudo na vida seja correto, bom ou fácil. É um mecanismo de defesa, assim como a negação ou a ilusão.

Não adianta cobrir o alho com chocolate. Não vai ficar gostoso. Da mesma forma, não adianta negar a realidade ou tentar escondê-la sob algo doce. A esperança não é um desvio da escuridão. É o combate à escuridão.

Logo depois que comecei a escrever este livro, assisti a uma entrevista na televisão de Ben Ferencz, que, aos 95 anos, é o último promotor vivo a ter atuado contra os nazistas em Nuremberg, que foi basicamente o maior processo criminal que o mundo já conheceu. Ferencz tinha apenas 27 anos na época.

Filho de imigrantes judeus romenos, ele serviu no Exército dos Estados Unidos na Segunda Guerra Mundial, participou da invasão da Normandia e da Batalha do Bulge. Depois, conforme os campos de concentração iam sendo liberados, ele ia até eles para reunir provas. Traumatizado pelo que viu, jurou nunca mais voltar à Alemanha.

Ferencz voltou para casa, em Nova York e, pouco antes de começar a atuar como advogado, foi recrutado para ir a Berlim investigar os escritórios e arquivos nazistas em busca de provas que ajudassem a promotoria nos julgamentos de crimes de guerra em Nuremberg. Ao catalogar os documentos nazistas, Ferencz descobriu relatórios escritos pela Einsatzgruppen, uma unidade da SS usada como esquadrão da morte. Os relatórios traziam os números de homens, mulheres e crianças assassinados a sangue-frio em cidades e vilas de toda a Europa ocupada pelos nazistas. Ferencz somou o número de mortos: mais de um milhão de pessoas assassinadas, enterradas em covas coletivas. "Setenta anos se passaram e ainda estou com o estômago revirado", disse Ferencz.

Esperança é a curiosidade amplificada.

É aí que a esperança entra em cena. Se Ferencz fosse um idealista, teria tentado esquecer a verdade terrível. Poderia ter tentado se convencer de que a guerra havia acabado, que o mundo está melhor agora, que não aconteceria aquilo outra vez. Se ele tivesse se entregado à desesperança, teria dito: "A humanidade é podre. Nada pode mudar isso." Mas Ferencz optou pela esperança. Ele estava determinado a fazer tudo que podia para promover o Estado democrático de direito e impedir que crimes semelhantes fossem novamente cometidos. Tinha apenas 27 anos ao ser indicado para o cargo de procurador-chefe dos Estados Unidos no caso Einsatzgruppen. Foi seu primeiro julgamento.

Ferencz viveu quase um século e continua a defender a paz e a justiça social.

"É preciso coragem para não desanimar", disse ele. Nunca desistam, ele nos relembra. Há progresso e mudança ao nosso redor, e o que é novo jamais aconteceu antes.

Lembrei-me de suas palavras quando falei recentemente em Rancho Santa Fé, um antigo bairro no norte de San Diego, onde até bem pouco tempo os judeus não tinham autorização para viver. A comunidade, que já foi segregacionista, agora está comemorando o aniversário de quinze anos da chegada do primeiro rabino Chabad no Rancho Santa Fé.

Se decidirmos que algo está perdido ou é impossível, ele será. Se agirmos, quem sabe o que podemos manifestar? A esperança é a curiosidade amplificada. É o desejo de cultivar dentro de si tudo o que promove a luz, e de fazer essa luz brilhar nos lugares mais escuros.

A esperança é o ato mais ousado de imaginação que eu conheço.

As sementes de desespero, entretanto, se proliferam.

Sobrevivi a Auschwitz e à Europa comunista. Na América, terra da liberdade, descobri que os banheiros e bebedouros da fábrica onde eu trabalhava, em Baltimore, eram separados por raça. Fugi do ódio e do preconceito e encontrei mais preconceito e ódio.

Poucos meses depois de eu ter começado a escrever este livro, no último dia da Páscoa, o feriado judeu que comemora a libertação, um homem armado entrou em uma sinagoga ortodoxa perto de San Diego, onde moro, e abriu fogo, matando um dos membros da congregação. Ele disse: "Estou apenas tentando defender minha nação do povo judeu." Alguns meses mais tarde, num Walmart em El Paso, Texas, onde também morei, outro jovem branco matou a tiros 25 pessoas, num ato criminoso de ódio de supremacistas brancos contra imigrantes. Será que meus pais morreram para que o passado se repetisse?

Nunca esquecerei a fisgada no estômago que senti quando terminei uma palestra na universidade de El Paso muitos anos atrás, e um professor perguntou à plateia: "Quantos sabem o que aconteceu em Auschwitz?" Havia pelo menos duzentas pessoas naquele auditório. Apenas cinco estudantes levantaram a mão.

A ignorância é a inimiga da esperança.

E é também um *estímulo* à esperança.

Tive o privilégio de conhecer um dos sobreviventes do tiroteio da sinagoga de San Diego algumas semanas antes que ele começasse seu primeiro ano na universidade. Nascido em Israel, imigrou para os Estados

Unidos com a família quando tinha 9 anos. Seus pais não eram muito religiosos, mas ele e o pai haviam recentemente começado a frequentar a sinagoga todos os sábados, um hábito que considerou útil para "pensar, recomeçar, renovar, refletir sobre o que fiz de errado e de certo durante a semana". Na manhã do tiroteio, ele tentava decidir em qual faculdade se inscreveria, avaliando suas opções. Enquanto o pai estava no interior do templo para ouvir a leitura da Torá, ele se sentou no saguão da frente da sinagoga, seu lugar predileto para rezar e refletir. Olhava pela janela quando viu, pelo canto do olho, um homem entrar no prédio, depois a ponta de uma arma, balas voando, uma mulher caindo no chão. "Corra", ele pensou. Ele se levantou para fugir, mas o atirador percebeu e correu atrás dele, gritando: "É melhor correr, filho da puta!" Ele encontrou um quarto vazio, se escondeu embaixo de uma mesa. Os passos do atirador pararam à porta. Meu jovem amigo prendeu a respiração. Os passos recuaram. Meu amigo não ousava se mexer, o corpo ainda pressionado entre a madeira da mesa e o chão, tentando não respirar. Foi assim que o pai o encontrou. O atirador havia fugido, seu pai garantiu, mas ele continuava ali, paralisado embaixo da mesa.

A ignorância é a inimiga da esperança.
E é também um estímulo *à esperança.*

"Vou falar com você de sobrevivente para sobrevivente", disse a ele. "Essa experiência sempre o acompanhará." Contei também que os flashbacks e o pânico geralmente não desaparecem. O que chamamos de transtorno do estresse pós-traumático não é uma doença, e sim uma reação normal à perda, à violência e à tragédia. Superar o que viveu naquele dia é improvável, por isso ele pode aprender a conviver com o trauma e até mesmo usá-lo, da mesma forma que usamos qualquer coisa que nos aconteça na vida para estimular nosso crescimento e propósito.

Essa é a esperança que eu lhe ofereço.

Ele podia ter morrido. Talvez tenha desejado isso em algum momento antes. Mas não morreu. A esperança é a convicção de que você sobreviveu para se tornar um bom modelo a seguir. Uma espécie de embaixador da liberdade. Uma pessoa que não foca no que perdeu, mas no que ainda está à sua espera, no trabalho que foi chamado a fazer.

Há sempre algo a fazer.

Minha tia Matilda, que chegou aos 100 anos, acordava toda manhã e dizia: "Poderia ser pior, e podia ser melhor." Era assim que ela começava o dia. Estou com 92 anos e na maioria dos dias acordo com algum tipo de dor. Essa é a realidade. Faz parte do envelhecimento, parte de viver com escoliose e pulmões danificados. O dia em que não sentir dor é o dia em que estarei morta.

A esperança não disfarça nem encobre a realidade. A esperança nos diz que a vida é cheia de escuridão e sofrimento – mas que, apesar disso, se sobrevivermos, amanhã seremos livres.

ESTRATÉGIAS PARA SE LIBERTAR DA DESESPERANÇA

- **Não cubra o alho com chocolate.** É tentador confundir esperança com idealismo, mas o idealismo é apenas outra forma de negação, uma maneira de evitar o verdadeiro confronto com o sofrimento. Resiliência e liberdade não resultam da tentativa de encobrir a nossa dor. Preste atenção à maneira como você fala sobre uma situação difícil ou dolorosa. *Tudo bem. Não é tão mal assim. Outras pessoas estão em pior situação. Não tenho do que reclamar. Tudo vai dar certo no fim. Sem sofrimento não há glória.* A próxima vez que você perceber que está usando a linguagem da minimização, da ilusão ou da negação, tente substituir as palavras por: "Dói, mas é temporário." Lembre a si mesmo: "Eu sobrevivi à dor antes."

- **É preciso coragem para não desanimar.** Há progresso e mudança ao nosso redor e nada de novo jamais aconteceu antes. Marque dez minutos no despertador e elabore uma lista com o maior número de coisas que você acha que estão melhores agora do que há cinco anos. Pense em escala global, coisas como avanços dos direitos humanos, inovações tecnológicas, novas obras de arte. Agora pense na escala pessoal – coisas que você fez, conquistou ou mudou para melhor. Deixe que o trabalho que ainda precisa ser feito seja um estímulo para a esperança, não para o desespero.

- **A esperança é um investimento em curiosidade.** Escolha um lugar confortável para se sentar ou deitar e feche os olhos. Relaxe o corpo. Faça algumas respirações profundas. Imagine-se caminhando numa estrada ou trilha. Você está a caminho de encontrar o seu futuro eu. Onde você está andando? Numa rua urbana iluminada? Na floresta? Numa estrada de terra? Observe seus arredores com detalhes sensoriais – preste atenção em imagens, odores, sons, sabores e sensações físicas. Agora você está chegando a seu futuro eu. Onde mora seu futuro eu? Num arranha-céu? Numa cabana de madeira? Numa casa com uma varanda larga na frente? A porta se abre. Seu futuro eu faz uma saudação. Como seu futuro eu se parece? O que está vestindo? Abrace ou dê um aperto de mão. Depois pergunte: "O que você quer que eu saiba?"

CAPÍTULO 12

NÃO HÁ PERDÃO SEM RAIVA

A prisão de não perdoar

As pessoas muitas vezes perguntam como pude perdoar os nazistas. Não tenho o poder divino para perdoar ninguém, muito menos para limpar espiritualmente as outras pessoas por seus erros.

Mas eu tenho o poder de me libertar.

Você também.

O perdão não é algo que oferecemos a quem nos magoa. É algo que oferecemos a nós mesmos para que não sejamos mais vítimas ou prisioneiros do passado e possamos parar de carregar um peso que não oferece nada além de sofrimento.

Outro equívoco sobre o perdão é acreditar que o caminho para ficar em paz em relação a alguém que nos prejudicou é dizer "Não quero mais saber dessa pessoa".

Não funciona dessa forma. Não adianta cortar a pessoa da sua vida. É preciso esquecer o rancor.

Quando você diz que não pode perdoar alguém, está desperdiçando energia sendo *contra* em vez de atuar *a favor* de você e da vida que você merece. Perdoar não é dar permissão a alguém para continuar o magoando. Não é bom ser alvo de maus-tratos. Mas já aconteceu. E ninguém, a não ser você, pode curar a ferida.

Esse tipo de libertação não é fácil de alcançar. Não é um processo rápido, e muitas coisas podem atrapalhar: o desejo de justiça, de vingança, de um pedido de desculpas ou até um mero reconhecimento.

Durante anos acalentei a fantasia de rastrear Josef Mengele no Paraguai, para onde ele fugiu após a guerra. Eu fingiria ser uma simpatizante, uma jornalista, para ter acesso e então entrar na casa dele. Olharia em seus olhos e diria: "Sou a garota que dançou para você em Auschwitz. Você matou minha mãe." Queria ver a expressão em seu rosto, a verdade surgir em seus olhos, sem que ele tivesse como fugir. Queria que respondesse por seus erros, indefeso. Queria me sentir forte e vitoriosa porque ele estava fraco. Não queria exatamente vingança. De certa forma, eu sabia que fazer o outro sofrer não eliminaria a minha dor. Mas por muito tempo essa fantasia me deixou satisfeita, embora não tenha eliminado a raiva e o sofrimento, apenas adiado seu enfrentamento.

É mais fácil se libertar do passado quando os outros veem a sua verdade, quando a realidade é exposta, quando o processo é coletivo – justiça reparadora, julgamentos de crimes de guerra, comitês da verdade e da reconciliação –, quando os agressores são responsabilizados pelo mal que causaram e o tribunal do mundo mostra a verdade.

Mas a *sua* vida não depende do que você recebe ou não de outras pessoas. Sua vida só depende de você.

O que vou dizer a seguir pode ser surpreendente, mas a verdade é que não há perdão sem raiva.

Por vários anos senti muita dificuldade em lidar com a raiva. Eu não a admitia. Era algo que me assustava. Pensei que me perderia nela. Que uma vez tomada pela raiva, ela nunca mais acabaria. Que me consumiria totalmente. No entanto, como eu disse antes, o oposto da depressão é a expressão. O que sai do nosso corpo não nos faz mal, mas o que permanece, sim. O perdão é libertação e eu não podia alcançá-la até me permitir sentir e expressar minha raiva. Um dia, pedi que minha terapeuta me imobilizasse com seu corpo, de modo que eu tivesse que fazer força para empurrar e assim pudesse liberar um grito primal.

A raiva silenciosa é autodestrutiva. Se você não a liberar de forma ativa e intencional é porque está se apoiando nela. E isso não lhe fará bem algum.

Tampouco se deve deixar a raiva explodir. O desabafo pode parecer catártico na hora, mas outras pessoas pagam a conta. E isso pode se tornar um hábito. Você não está de fato liberando nada. Está apenas perpetuando um ciclo, e do tipo prejudicial.

A melhor coisa a fazer com a raiva é aprender a canalizá-la para depois dissolvê-la.

A raiva silenciosa é autodestrutiva.

Pode parecer bastante simples, mas se lhe ensinaram a ser uma "boa menina" ou um "bom menino", ensinaram também que a raiva é inaceitável ou assustadora. E que se você foi magoado pela raiva de outra pessoa não deve se permitir sentir raiva, muito menos expressá-la.

Quando o marido de Lena de repente lhe comunicou, sem conversa ou explicação, que queria o divórcio, ela entrou em choque. Hoje, um ano depois, ela lida muito bem com a situação: dedicou-se ao trabalho, apoia e ama seus três filhos, e está, até mesmo, começando a namorar novamente, arriscando um corte de cabelo moderno e brincos ousados. Ainda assim ela se sente presa internamente, incapaz de superar a sensação de que foi enganada pela vida.

– Perdi algo que eu não queria perder – disse ela. – Não tive escolha.

Lena experimentou sentimentos de profunda tristeza, luto e culpa. Ela reuniu uma força e energia que não sabia que tinha para apoiar os filhos e dar andamento às questões práticas do divórcio. Mas em meio a tudo aquilo, não conseguia sentir raiva. Uma tia querida havia passado por um processo semelhante de divórcio muitos anos antes e acabou se recolhendo do mundo, esperando por décadas que o ex-marido percebesse que havia cometido um erro e implorasse para voltar. A tia morreu de câncer ainda esperando que o marido voltasse. Assombrada pela angústia da tia, Lena foi fazer uma caminhada na mata um dia, com o objetivo de liberar a raiva que ela sabia que devia estar escondida dentro de si, ainda que não pudesse senti-la. Escolheu uma trilha bem no meio da floresta, parou entre as árvores, completamente sozinha, e se preparou para gritar o mais alto que podia. Mas o grito não saiu. Ela estava bloqueada. Quanto mais tentava aceitar a raiva, mais embotada se sentia.

– Como posso sentir e expressar minha raiva? – perguntou ela. – Tenho muito medo dessa emoção. Não quero sentir raiva.

– Primeiro, justifique sua raiva – recomendei.

Ela tem o direito de sentir raiva. É uma emoção humana. Ela é humana. Assim como você.

Quando não conseguimos liberar a raiva, ou estamos negando que fomos vítimas ou que somos humanos. (É assim que um perfeccionista sofre. Silenciosamente.) De qualquer forma, estamos negando a realidade, nos anestesiando, fingindo estar bem.

Isso não pode nos libertar.

Grite e esmurre o travesseiro. Vá à praia ou suba uma montanha sozinho e grite para o vento. Pegue um pedaço grande de madeira e bata com ele no chão. Se cantamos sozinhos no carro, por que não podemos gritar sozinhos? Abra as janelas, respire fundo e, ao expirar, solte a voz e deixe que ela vá num crescendo até se tornar o grito mais alto e longo do mundo. Quando um paciente chega para a consulta com um jeito inflexível ou dissimulado, digo logo: "Estou com vontade de gritar hoje. Vamos gritar?" E lá vamos nós gritar juntos. Se você tem medo de gritar sozinho, peça a um amigo ou terapeuta para gritar com você. É muito libertador, profundo, até mesmo estimulante, escutar a própria voz sem alterações, carregada de emoções, expressando sua verdade mais difícil. Preste atenção em você, sem dissimulações. Levante-se, reivindique seu espaço e afirme: "Fui vitimizado, mas não sou uma vítima. Eu sou eu."

A raiva é uma emoção secundária, uma defesa, uma proteção que colocamos ao redor da emoção primária que está por baixo. A liberar a raiva alcançamos o que está oculto: medo ou tristeza.

Só então poderemos começar a tarefa mais difícil de todas.

Perdoar a nós mesmos.

• • •

Numa tarde de sexta-feira de agosto, logo após eu ter começado a planejar os capítulos deste livro, encontrei um homem na porta da minha casa. Ele vestia calça cáqui e camisa polo, e trazia um crachá com sua identidade oficial preso no peito.

"Sou da empresa de abastecimento de água", disse ele. "Preciso verificar se sua água está contaminada."

Deixei que ele entrasse para verificar e o levei até a cozinha. Ele abriu a torneira, verificou os equipamentos, depois examinou as torneiras nos banheiros e então me disse: "Preciso falar com meu supervisor, pode ser que estejamos com um problema de contaminação por metais." Ele usou o próprio telefone celular a fim de chamar um colega para ajudar.

Um homem, com o mesmo uniforme e crachá, chegou e testou novamente todas as torneiras. Depois pediu que eu tirasse todos os acessórios de metal que estava usando. Relógio, cinto, joias. Tirei o colar e a pulseira. Tirar os anéis foi mais difícil. Por causa da minha artrite, os anéis tinham pequenos pinos para que eu pudesse tirá-los, pois de outra maneira eu não conseguiria passar com eles pelas articulações inchadas. Mas a artrite também torna difícil puxar os pinos. Pedi ajuda a um dos homens.

Eles testaram as torneiras mais uma vez e aplicaram um produto na água. "Vá até a pia do banheiro e deixe a água correndo até ficar azul", eles pediram. Fui até lá, abri a torneira e fiquei vigiando o fluxo de água. Esperei, esperei e então percebi. Corri de volta à cozinha, mas eles já haviam ido embora levando meu colar, a pulseira e os anéis.

A polícia disse que eu fora vítima do mais recente golpe aplicado em idosos. Fiquei me sentindo uma idiota ingênua por ter caído no esquema. Eu me arrepio toda vez que penso em como fui uma imbecil crédula. Deixei que entrassem e andassem pela casa inteira. Dei a eles minhas joias. Poderia até ter assinado um cheque.

A polícia e meus filhos têm uma visão diferente. Graças a Deus que você obedeceu, eles dizem. Os ladrões levaram as coisas, mas não me machucaram. Se eu tentasse resistir, eles poderiam ter me amarrado ou feito coisa pior. Fazer exatamente o que eles pediram sem reclamar pode ter salvado a minha vida.

Essa perspectiva é conveniente. Mas ela não faz as emoções desaparecerem.

A perda de coisas que eu valorizava e pelas quais nutria estima, principalmente o bracelete, que Béla havia me dado para comemorar o nascimento de Marianne e que eu contrabandeei da Tchecoslováquia escondido numa fralda. É apenas um objeto, mas representa muito mais. Representa a vida, a maternidade, a liberdade, tudo que vale a pena comemorar e lutar para ter. Meus braços parecem nus sem ele.

Depois, veio o medo. Fiquei obcecada durante dias, achando que eles iam voltar e me matar para que eu não contasse nada.

Então veio a vontade de dar uma bronca nos criminosos, puni-los, desprezá-los. "Foi isso que sua mãe lhes ensinou?", eu me imaginava gritando. "Vocês não têm vergonha?"

E tinha ainda a questão da *minha* vergonha. Eu abri a porta. Eu respondi às perguntas. Obedeci aos comandos deles, ofereci a mão para que eles tirassem meus anéis. Eu odiava essa versão de mim.

Vulnerável. Frágil. Ingênua.

Mas a única pessoa que estava me criticando era eu mesma.

O que estou dizendo é que a vida continua me dando oportunidades para escolher a liberdade, para me amar como eu sou: humana, imperfeita e única. Portanto, eu me perdoo e os liberto para que eu possa me libertar.

Tenho uma vida para viver, trabalho para fazer e amor para compartilhar. Não tenho mais tempo para guardar medo, raiva ou vergonha, muito menos para dar qualquer outra coisa àquelas duas pessoas que tiraram algo de mim. Não vou lhes dar nem um minuto a mais. Não vou lhes dar o meu poder.

Em minha última viagem à Europa, Audrey e eu estivemos em Amsterdã, onde fiz uma palestra na Casa Anne Frank e depois fui homenageada da maneira mais incrível. Igone de Jongh, a primeira bailarina do Balé Nacional Holandês, coreografou e apresentou um balé inspirado em minha primeira noite em Auschwitz, quando dancei para Mengele.

A apresentação foi em 4 de maio de 2019, no 74º aniversário da minha libertação em Gunskirchen e um dia dedicado à memória nacional na Holanda. O país inteiro faz dois minutos de silêncio em honra daqueles que morreram nos campos e dos que sobreviveram. Quando Audrey e eu chegamos ao teatro, fomos recepcionadas como celebridades, com direito a aplausos e buquês de flores. As pessoas choravam e nos abraçavam. Como o rei e a rainha estavam atrasados para a apresentação, nos ofereceram seus lugares.

O espetáculo em si foi uma das experiências mais primorosas e afetuosas de minha vida. Fiquei muito impressionada com a força, a elegância e a paixão de Igone de Jongh, com a representação da beleza e a transcendência – no inferno. Mais avassaladora ainda foi a caracterização de Mengele. Ele era um fantasma sôfrego, melancólico e exausto, sempre tentando se aproximar de mim, sua prisioneira, mas nunca alcançando seu objetivo, enredado em sua necessidade de poder e controle.

Os artistas agradeceram ao fim e o público se levantou em estridentes aplausos. Bem quando as palmas começavam a arrefecer, Igone de Jongh, com os braços cobertos de buquês, desceu do palco e caminhou na direção de onde Audrey e eu estávamos sentadas. Um facho de luz iluminou exatamente onde estávamos. A bailarina me abraçou, os olhos cheios de lágrimas, e me ofereceu o maior dos buquês que recebeu. O teatro explodiu de emoção. Eu mal conseguia enxergar o caminho quando deixamos nossos assentos, pois meus olhos ainda estavam molhados de lágrimas.

Precisei de muitos anos para trabalhar a raiva e a tristeza que eu sentia, para liberar Mengele e Hitler e para me perdoar por ter sobrevivido. Mas ali, no teatro com a minha filha, assistindo a um dos momentos mais sombrios do meu passado ganhar vida no palco, confirmei o que tinha percebido naquela noite no barracão: que apesar de Mengele ser o todo-poderoso, apesar de escolher com aquele dedo grotesco, dia após dia, quem viveria e quem morreria, ele era mais prisioneiro do que eu.

Eu era inocente.

E livre.

ESTRATÉGIAS PARA SE LIBERTAR DO NÃO PERDÃO

- **Será que estou pronto para perdoar?** Pense em alguém que prejudicou ou magoou você. Veja se alguma afirmação soa verdadeira para você: *O que ele fez foi imperdoável. Ele não merece o meu perdão. Estou pronto para lhe presentear com meu perdão. A questão é que, se eu perdoar, estou libertando a pessoa, permitindo que ela continue me magoando. Perdoarei quando houver justiça, um pedido de desculpas ou o reconhecimento pelo erro.* Se você se identifica com alguma delas, é provável que esteja investindo sua energia *contra* alguém, em vez de *a favor de* você mesmo e da vida que você merece. O perdão não é algo que se dá a alguém. É como você se liberta.

- **Reconheça e libere a raiva.** Marque um encontro com sua própria raiva. Se a ideia de ficar zangado é muito assustadora para enfrentar sozinho, peça ajuda a um amigo próximo ou ao terapeuta. Justifique a sua raiva, depois escolha uma forma de canalizá-la e a elimine. Grite. Berre. Desconte num saco de pancadas. Bata com um bastão no chão. Quebre pratos no quintal. Coloque a raiva para fora de modo que ela não inflame e contamine você. Não pare até que não reste mais nada. Repita o processo no dia seguinte, ou na semana seguinte.

- **Perdoe-se.** Se estiver com dificuldade para libertar alguém que o magoou, pode ser que esteja preso à sensação de culpa, vergonha ou crítica que carrega em relação a você mesmo. Nascemos inocentes. Imagine-se segurando um bebê em seus braços. Sinta o calor e a confiança desse pequeno ser. Observe os olhos curiosos, bem abertos, e as mãozinhas que se agitam como se quisessem absorver cada detalhe desse generoso e insondável mundo. Esse bebê é você. Diga: "Estou aqui. Eu vivo por você."

CONCLUSÃO

A DÁDIVA

Não podemos acabar com o sofrimento, não podemos mudar o que aconteceu, mas podemos escolher descobrir a dádiva em nossa vida. Podemos até aprender a valorizar a ferida.

Há um ditado húngaro que diz que você encontrará a sombra mais escura embaixo da vela. Nossos lugares mais sombrios e mais iluminados – nossas sombras e nossas chamas – são entrelaçados. A noite mais terrível que enfrentei, a primeira em Auschwitz, me ensinou uma lição vital que desde então melhorou e fortaleceu a minha vida. As piores circunstâncias me deram a oportunidade de descobrir forças interiores que me ajudaram a sobreviver inúmeras vezes. Meus anos de introspecção, de solidão e de muito esforço como aluna de balé e de ginástica me ajudaram a sobreviver ao inferno. E o inferno me ensinou a continuar dançando pela minha vida.

A vida, mesmo com seus inevitáveis traumas, sofrimentos, lutos, angústias e mortes, é uma dádiva. Uma dádiva que sabotamos quando nos prendemos aos nossos medos de punição, de fracasso e de abandono, à necessidade de aprovação, à vergonha, à culpa, à superioridade, à inferioridade, à necessidade de poder e controle. Celebrar a vida é descobrir a dádiva que existe em cada acontecimento, mesmo nas horas difíceis, quando não sabemos se é possível sobreviver. Celebre a vida, e pronto! Viva com alegria, amor e paixão.

Muitas vezes achamos que se superarmos uma perda ou trauma, se formos felizes e continuarmos a crescer e evoluir, estaremos desonrando os mortos ou o passado. Tudo bem sorrir! Tudo bem ser alegre! Mesmo em Auschwitz nós festejávamos o tempo todo na nossa imaginação, preparando banquetes imaginários e discutindo a quantidade de cominho que se põe no pão de centeio e a quantidade de páprica que vai no frango à moda húngara. Numa noite tivemos até um concurso de peitos! (Adivinhem quem ganhou?)

Não posso dizer que tudo acontece por uma razão, que há um propósito na injustiça ou no sofrimento. Mas posso dizer que a dor, a dificuldade e o sofrimento são dádivas que nos ajudam a crescer, a aprender e a nos tornarmos a pessoa que estávamos destinados a ser.

Nos últimos dias da guerra, estávamos morrendo de fome, e surgiram casos de canibalismo no campo. Eu permanecia imóvel no chão lamacento, tendo alucinações por causa da fome, rezando para encontrar uma maneira de continuar viva sem ter que comer carne humana. Daí uma voz me disse: "Tem grama para comer." Mesmo às portas da morte eu podia escolher. Eu podia escolher qual tufo de grama comer.

Eu costumava perguntar "Por que eu?", mas agora eu pergunto "Por que não eu?". Talvez eu tenha sobrevivido para poder escolher o que fazer com o que me aconteceu e como estar aqui agora. Para que eu possa mostrar às outras pessoas como escolher a vida, para que meus pais e todos os inocentes não tenham morrido em vão. Para que eu possa transformar todas as lições que aprendi no inferno num presente que ofereço a você agora: a oportunidade de decidir o tipo de vida que você quer ter, descobrir o potencial inexplorado que reside nas sombras e revelar e resgatar quem você realmente é.

Você pode também escolher desistir da prisão e se esforçar para ser livre. Encontrar em seu sofrimento suas próprias lições de vida. Escolher qual legado deixará para o mundo. Transmitir o sofrimento ou transmitir a dádiva.

AGRADECIMENTOS

Sempre digo que as pessoas não me procuram. Elas são enviadas a mim.

Fui abençoada com as contribuições de milhares de pessoas maravilhosas que me foram enviadas. É impossível citar cada pessoa que me emocionou, inspirou e cuidou de mim, contribuindo direta ou indiretamente para a criação deste livro. A todos que participaram da minha vida, confiaram em mim e me ajudaram a não desistir, celebro seus talentos únicos e valorizo sua presença em minha vida. Obrigada por reabastecerem a minha alma, por me ajudarem a enfrentar o desconhecido, a lidar com o imprevisto e o inesperado, e assumir a responsabilidade por minha vida e minha liberdade. A meus pacientes, que me estimularam a nunca me aposentar, agradeço por todos os questionamentos que me ensinaram a ser uma boa orientadora. E às inúmeras pessoas em todo o mundo que acharam meu trabalho significativo, principalmente aquelas que me contaram suas histórias, agradeço pelo estímulo para compartilhar essas lições de modo que todos possam saudar cada dia com paixão pela vida e que todos possam ser livres.

A meus professores e mentores, a todos que ajudaram a me tornar uma profissional da arte da cura e àqueles que continuam o trabalho de orientar os outros, agradeço pela forma que vocês lideram pelo exemplo. E por cuidarem de vocês mesmos indo além do "eu", contribuindo para tornar o mundo melhor, vivenciando o ensinamento que diz que mudança é sinônimo de crescimento. Um reconhecimento especial a Jakob van Wielink e seus colegas por serem meus guias e guardiões na Holanda e na Suíça, tornando a viagem possível, me apresentando às pessoas que eu queria conhecer e me levando a lugares onde fui homenageada e me emocionei a ponto de ficar sem palavras. Que todos nós aproveitemos cada momento da vida, que nossas diferenças nos fortaleçam e que formemos uma grande família humana.

Agradeço às pessoas que me apoiam em meu dia a dia, especialmente ao Dr. Scott McCaul e à Dra. Sabina Wallach, que nunca duvidaram de minha força para resistir; a Gene Cook, meu parceiro de dança, que é a bondade em pessoa; e Katie Anderson, meu braço direito, que me mantém a par de tudo, me ajuda a enfrentar qualquer coisa e mostra o que é uma pessoa proativa. Obrigada a todos por cuidarem do meu corpo, da minha mente e de meu espírito, sempre levando em conta o que é melhor para mim e me lembrando diariamente que amor-próprio é autocuidado.

Escrever o meu primeiro livro foi a realização de um sonho. Publicar um segundo livro é algo além do que jamais imaginei possível. Eu não poderia ter realizado nada disso sem minha equipe maravilhosa: minha amiga e apoiadora Wendy Walker, uma pessoa inspiradora que nos ensina como ser uma verdadeira sobrevivente e viver o presente; meus brilhantes editores, Roz Lippel e Nan Graham, e seus colegas incríveis da Scribner; Jordan e Illynger Engle, pelo trabalho que fazem de compartilhar minhas mensagens nas redes sociais; a meu agente, Doug Abrams, e sua fábrica de sonhos na Idea Architects; e minha coautora, Esmé Schwall Weigand, que transforma minhas palavras em poesia.

A minhas filhas, Marianne e Audrey, irmãs poderosas que praticam a arte de concordar discordando, obrigada por tudo que vocês me ensinaram sobre escolher não ser vítima nem salvadora. E obrigada pelas contribuições dinâmicas e sensíveis para este livro, ajudando a extrair as dimensões práticas e teóricas do meu trabalho. A meu filho, John, obrigada pela coragem que você demonstra todos os dias na forma como se dedica aos outros.

Às gerações que vêm depois de mim e aos antepassados que me precederam, obrigada por me mostrar que carregamos o sangue dos sobreviventes. Que podemos sempre viver livres, nunca vítimas de nada nem de ninguém.

SOBRE A AUTORA

EDITH EVA EGER é psicóloga reconhecida e sobrevivente do Holocausto. Ela trabalhou com veteranos de guerra, militares e vítimas de traumas físicos e mentais. Mora em La Jolla, Califórnia. É autora do premiado *A bailarina de Auschwitz*.

CONHEÇA OUTRO TÍTULO DA AUTORA

A bailarina de Auschwitz

O livro conta a história inspiradora e inesquecível de uma mulher que viveu os horrores da guerra e, décadas depois, encontrou no perdão a possibilidade de ajudar outras pessoas a se libertarem dos traumas do passado.

Edith Eger era uma bailarina de 16 anos quando o Exército alemão invadiu seu vilarejo na Hungria. Seus pais foram enviados à câmara de gás, mas ela e a irmã sobreviveram. Edith foi encontrada pelos soldados americanos em uma pilha de corpos dados como mortos.

Mesmo depois de tanto sofrimento e humilhação nas mãos dos nazistas, e após anos e anos tendo que lidar com as terríveis lembranças e a culpa, ela escolheu perdoá-los e seguir vivendo com alegria. Já adulta e mãe de família, resolveu cursar psicologia.

Hoje ela trata pacientes que também lutam contra o transtorno de estresse pós-traumático e já transformou a vida de veteranos de guerra, mulheres vítimas de violência doméstica e tantos outros que, como ela, precisaram enfrentar a dor e reconstruir a própria vida.

Este é um relato emocionante de suas memórias e de casos reais de pessoas que ela ajudou. Uma lição de resiliência e superação, em que Edith nos ensina que todos nós podemos escapar à prisão da nossa própria mente e encontrar a liberdade, não importam as circunstâncias.

CONHEÇA ALGUNS DESTAQUES DE NOSSO CATÁLOGO

- Augusto Cury: Você é insubstituível (2,8 milhões de livros vendidos), Nunca desista de seus sonhos (2,7 milhões de livros vendidos) e O médico da emoção
- Dale Carnegie: Como fazer amigos e influenciar pessoas (16 milhões de livros vendidos) e Como evitar preocupações e começar a viver
- Brené Brown: A coragem de ser imperfeito – Como aceitar a própria vulnerabilidade e vencer a vergonha (900 mil livros vendidos)
- T. Harv Eker: Os segredos da mente milionária (3 milhões de livros vendidos)
- Gustavo Cerbasi: Casais inteligentes enriquecem juntos (1,2 milhão de livros vendidos) e Como organizar sua vida financeira
- Greg McKeown: Essencialismo – A disciplinada busca por menos (700 mil livros vendidos) e Sem esforço – Torne mais fácil o que é mais importante
- Haemin Sunim: As coisas que você só vê quando desacelera (700 mil livros vendidos) e Amor pelas coisas imperfeitas
- Ana Claudia Quintana Arantes: A morte é um dia que vale a pena viver (650 mil livros vendidos) e Pra vida toda valer a pena viver
- Ichiro Kishimi e Fumitake Koga: A coragem de não agradar – Como se libertar da opinião dos outros (350 mil livros vendidos)
- Simon Sinek: Comece pelo porquê (350 mil livros vendidos) e O jogo infinito
- Robert B. Cialdini: As armas da persuasão (500 mil livros vendidos)
- Eckhart Tolle: O poder do agora (1,2 milhão de livros vendidos)
- Edith Eva Eger: A bailarina de Auschwitz (600 mil livros vendidos)
- Cristina Núñez Pereira e Rafael R. Valcárcel: Emocionário – Um guia lúdico para lidar com as emoções (800 mil livros vendidos)
- Nizan Guanaes e Arthur Guerra: Você aguenta ser feliz? – Como cuidar da saúde mental e física para ter qualidade de vida
- Suhas Kshirsagar: Mude seus horários, mude sua vida – Como usar o relógio biológico para perder peso, reduzir o estresse e ter mais saúde e energia

sextante.com.br